KB103194

이
상
한

펜
던
트

이상한
펜던트

이서연

차례

내 이름은 박세인

내 이름은 박세인이다.

나이는 열여섯. 한창 사춘기일 나이다.

오늘은 이사 오고 학교 첫날이다.

엄마에게 학교를 안 가고 싶다고 했지만 역시나 엄마는 되겠냐고 잔소리나 퍼부었다.

* * *

학교에 도착했다.

우리 학교와 반은 서울다래중학교 3학년 6반.

난 자기소개를 했다.

"안녕 내 이름은 박세인 원래 시골에 살다가 여기로 우연치 않게 전학을 왔어..."

"아, 그리고 난 홀로 있는 걸 좋아하니까 같이 놀자는 말은 하지 않아 줬으면 좋겠어."

라고 내가 말했다.

근데 우리 반 애들은 다 숙덕거렸다. 듣기 싫게.

우리 반은 참 다채로운 것 같다. 일진인 나연이와 날 너무 티 나게 째려보는 리아와 또 계속해서 말 거는 남자애들... 참 싫다. 근데 뭐 리아와 남자애들은 이해가 된다. 난 초등학교에서부터 예쁘다고 소문났으니까. 심지어 서울로 저번에 여행 왔을 때 아이돌 캐스팅을 받았었지만 나는 거절했다.

어쨌든 나는 1분단 맨 뒷자리 나연이와 앉았다. 앉았는데 바로 나연이는 나에게 말을 시작했다.

"야 너 왜 이렇게 이쁘게 생겼냐? 시골에서 온 애 맞아? 아니면 성형했냐?"

나는 분명 말 걸지 말라 했는데 말 거는 나연이가 짜증 났고 성형이란 말에 또 짜증 났다.

"나는 그냥 예쁜 아이인 거고 너는 왜 사람 말을 안 들어? 내가 분명 말 걸지 말랬는데 이 얘기가 그렇게 나에게 말 걸 정도로 중요했니?"

나연이는 날 매섭게 째려보며 나연이는 말했다.

"뭐? 너 뭐라 했냐? 너 나한테 전학 첫날부터 찍히고 싶어?"

난 씹었다. 나연이의 말을.

그리고 쉬는 시간이 되었다. 1교시가 수학이었는데 뭔 말인지 하나도 모르겠었다. 이제 좀 눈 감고 쉬어볼까 하는데, 리아가 여자애들을 데리고 왔다.

"야, 너."

여자애들이 날카롭게 말했다.

나도 모르게 쉬고 싶어서 짜증 나게 말했다.

"아 진짜, 뭔데!!"

여자애들은 당황했고 리아는 상당히 기분이 안 좋아 보였다.

그 순간 종이 쳤다.

여자애들은 자리로 돌아갔고 리아도 날 쳐다보며 자리로 돌아갔다. 도대체 전학 첫날부터 왜 그러는지... 정말 마음에 안 든다.

그 이후로, 쉬는 시간엔 아무도 날 찾아오지 않았고 그렇게 오늘의 학교생활이 끝났다.

오늘 저녁에 난 침대에 눕고 휴대폰을 보면서 생각했다.

"내일도 이 짜증 나고 싫은 학교를 가야하네. 헐, 나 그럼 1년 더 이 중학교에 다녀야 하는 거야?!"

진짜 시골이 훨씬 좋았다..

다음날, 나는 지각을 하고 말았다.

반에 가니까 아이들의 매서운 눈빛이 따가웠다. 그래도 난 무시하고 내 자리로 갔다. 그런데 짝인 나연이가 쪽지를 줬다. 거기에는 충격적인 얘기가 들어있었다.

> 너 싫어
>
>   짜증 나
>
>   여기 왜 왔어?
>
>   잘난 척 좀 그만해 이 공주병아
>
> 있지, 나 너 정말 싫어 나한테 잘난 척하는 거랑
> 니가 예민한 거 다 싫어 다시 네 고향으로 가!

내가 얼어붙어 있으니, 나연이가 말했다.

"이거 우리 반 여자애들에게 너한테 하고 싶은 말 적으라 했는데 많이 충격적이니?"

그걸 말이라고 하나. 당연했다. 이 애들은 나에게 학교폭력을 하고 결국 나를 이 학교에서 추방하려는 것이다.

하지만 나는 오히려 이럴 때는 침착하게 굴어야 한다는 것을 알기에 반박했다.

"야 내가 이런 거로 화날 것 같아? 전혀, 오히려 귀엽다는 생각이 드는걸?"

나연이는 여자애들과 눈치를 주고받으며 당황해했다.

그리고 나는 자리를 박차고 일어나 선생님께 이 쪽지를 보여 드렸다. 선생님은 정말 화내시며 우리 반 여자애들을 다 불러 교무실로 갔다. 정말 통쾌했다.

그리고 쉬는 시간, 난 선생님께 위로받으며 교무실에서 나왔다. 그런데 리아와 여자애들이 화장실에서 나왔다.

"야, 박세인."

난 무시하고 가려고 여자애들 사이를 지나가는데 리아와 유나라는 아이가 내 팔을 잡고 화장실로 끌어갔다. 어떤 여자애들은 누가 화장실로 오는지 감시했고 리아와 유나가 나와 얘기를 했다.

"안녕, 내 이름은 유나 3학년 5반이고 중학교 2학년 때 리아와 절친했어."

라고 유나가 말했다. 나는 꺼림칙했다.

"우리가 널 왜 불렀는지 알아? 너 우리 반 여학생들이 너에게 할 말 적은 거 알지?"

모를 리가 없었다. 나에겐 내 일생에서 가장 충격적인 일이었으니까.

"너희가 나에게 무슨 일을 저질러도 난 너네보다 지혜롭고 영리하니까 어떻게든 빠져나올 거야"

리아와 아이들은 아주 어이없어했고 나는 그 틈을 타 아이들을 밀치고 화장실을 빠져나와 반으로 갔다. 난 화장실을 빠져나올 때 여자애들이 하는 말을 들었다.

"야 뭔 여자애가 저렇게 뻔뻔하고 당당해?", "오늘 처음 본 애인데 진짜 별로다." 등등.

난 괜찮다. 어딜 가도 미움받는 아이니까. 전 학교에서도 그랬다. 그래도 경력이 있다고 이번 학교는 애교 수준인 것 같다. 나는 반에 도착했다. 분위기가 싸늘했다. 왜인지 모르겠다. 일단 자리에 가서 앉았다. 옆에 있던 나연이가 나에게 귓속말로 말했다.

"야 너 리아한테 물 뒤집어쓰게 하고 욕설을 퍼부으면서 못된 X라고 했다며?"

난 결코 그런 짓을 하지 않았다. 오히려 내가 당할 뻔했는데 이게 무슨 말인가 싶었다. 생각해 보니 이건 날 또 전학 가게 할 또 다른 방법인 거 같았다. 분명 리아가 거짓말을 한 것이었다.

쉬는 시간이었다. 리아의 자리에 아이들이 북적북적했다. 무슨 일인가 봤더니 리아가 자신의 책상에서 울고 있었다. 정말 대단하다. 이렇게까지 내가 싫었나? 아이들은 날 째려보길래 나는 얼른 자리를 떴다. 복도를 지나고 있는데 5반에 여자애들이 동그랗게 누군가를 둘러쌓고 심각하게 얘기를 나누고 있었다. 누구지? 하고 봤는데 그 누군가는 유나였다. 유나가 거짓말밖에 없는 말을 뿌리고 있었던 것이다.

정말 어이가 없어서 유나에게 말했다.

"야, 김유나, 네가 뭔데!"

순간 눈물이 나올 뻔했다.

유나를 둘러쌓던 아이들은 다 나를 봤고 유나는 마치 알았다는 듯이 나를 보고 악마같이 씩 웃었다. 짜증 났다. 아이들은 서로 "쟤가 걔지?"하며 유나에게 질문을 했다.

나는 빠르게 우리 반으로 왔고 책상에 앉았다. 다음 시간은 미술

이라고 했다. 수채화이니 다들 물감과 물통에 물을 준비하라고 했다.

나는 다 준비하고 미술 활동을 시작했다. 아이들의 물통의 물은 어느새 물감 물로 물들어져 있었다. 나도 물감을 칠하고 있었다. 근데 리아가 물을 갈러 간다고 하며 내 쪽으로 왔다. 그 순간

"착"

소리가 나며 내 옷이 물감 물로 범벅이 되고 아이들은 놀라서 얼음이 되었다. 리아가 나에게 물감 물을 쏟은 것이다. 선생님도 그때는 자리를 비우셔서 어떻게 할지를 몰랐다.

난 순간 놀래서 리아에게 말했다.

"너 뭐 하는 짓이야! 일부러 이런 거지?"

리아는 뜨끔했는지 눈썹 한쪽이 올라갔다. 그리곤 말했다.

"난 일부러 그런 거 아니거든? 그리고 실수로 한 거 가지고 쪼잔하게"

난 정말 어이없고 화가 났다. 그 순간 선생님이 오셨다. 선생님은 날 보자마자 무슨 일이냐고 물어봤다.

난 당연히 말했다.

"리아가 일부러 절 노리고 물감 물을 저에게 쏟아붓고 뻔뻔하게 저한테 쪼잔하데요."

리아는 아니라고 선생님께 말했다. 선생님은 우리 둘을 번갈아 보며 둘 다 연구실로 오라고 했다. 나는 왜 불려가야 하고 내 옷을 버려야 하나.. 일단 나는 학교에 있는 쌤 옷을 빌려 입고 옷을 버렸다. 쌤은 리아가 일부러 했다는 증거가 없다고 리아에게 사과하고

풀라고 했다. 리아는 굉장히 가소롭다는 표정을 짓고 사과했다. 나
는 그 사과조차도 기분이 나빴다.

이상한 펜던트

나는 하교를 하고 있었다. 아주 기분이 안 좋은 상태라 정말 짜증이 나는 하루라 생각하며 길을 터벅터벅 걷는데 반짝거리는 것이 보였다.

가까이 가보니 바로 펜던트였다. 이게 뭐지? 하며 펜던트 가까이 가본 순간 눈앞이 환해지며 나는 잠에 들었다.

* * *

그리곤 일어났는데 뭔가가 이상했다. 내 손엔 그 펜던트가 들어있었고 펜던트는 아까보다 더 반짝이고 있었다. 일단 여기가 어딘지 천천히 보기로 했다.

보아하니 여기 사람들은 전부 이상했다. 모든 사람이 한복을 입고 이상한 말투를 쓰며 지나가는 것이다. 원래 우리의 세상은 휴대폰을 보며 걷기 마련인데 여기 사람들은 다 손에 아무것도 없었다. 나는 놀란 표정으로 가만히 서 있었는데 한복을 입은 아줌마가 나에게 말을 걸었다. 아주 화려한 한복을 보니 부자인가보다.

아줌마는 나에게 말했다.

"어머, 얘야 무슨 일이 있으니? 왜 혼자 있어?"

나는 마침 잘됐다고 생각하며 여기가 어디며 왜 여기 사람들은 죄다 한복을 입고 있냐고 물어보려고 했다.

"아줌마, 여기가 어디예요? 여기 혹시 드라마 촬영장이에요? 제가 사실 2023년에 살다가 이상한 펜던트를 발견했는데, 이게 갑자기 번쩍! 하면서 여기로 데려온 거예요. 저 좀 도와주세요."

아줌마는 갸웃하다가 나에게 말씀하셨다.

"2023년이라니? 여기는 1772년이란다. 너 설마.....?"

라고 말씀하시다가 멈칫하셨다.

"아니, 내가 무슨 말을.. 미래라니."

나는 말했다.

"맞아요, 저 2023년에서 왔고요. 지금 저 좀 빨리 2023년으로 다시 돌려보내 주실래요?"

아줌마는 말했다.

"내가? 난 아무것도 모르는데.... 그러면 일단 우리 집으로 가자!"

나도 좀 쉴 곳이 필요해서 아줌마의 집으로 갔다. 아줌마의 집은 엄청 예쁜 한옥이었다. 나는 거실에 앉아서 멍을 때리는데 엄청 예쁘게 생기고 고운 한복을 입은 여자아이를 데려왔다. 보아하니 내 또래 같았다.

아줌마가 말했다.

"이 아이는 내 이쁜 딸 이란다. 서로 인사하렴."

아이는 말했다.

"안녕? 내 이름은 이윤정이야. 너는?"

나도 말했다.

"나는 박세인."

뭔가 느낌이 익숙했다. 이 이름은 나와 친했던 우리 고조할머니의 할머니 이름이었다. 내가 할머니의 성함을 아는 이유는 우리 고조할머니께서 매일 고조할머니의 할머니 애기를 들려주었기 때문이다. 그리고 우리는 이분을 쉽게 부르기 위해서 그냥 할머니라고 부르기로 했다. 처음엔 동명이인인가? 했다. 근데 정말 이 시기라면 가능성이 있다.

윤정이는 깊은 생각에 빠져있는 나에게 또 말을 걸어왔다.

"저기, 너 무슨 생각해?"

나는 나도 모르게 말이 나왔다.

"할머니..."

윤정이는 당황해했다. 그리곤 말했다.

"혹시 너 할머니가 없니? 나돈데.."

나는 놀랐다.

"우리 할머니는..."

"왜? 어떻게 돌아가셨어?"

내가 물었다.

윤정이는 이런 무례할 수도 있는 질문에 친절하게 대답해 주었다.

"우리 할머니는 돌아가시지 않았어, 실종되신 거지.."

윤정이는 한숨을 쉬고 말을 이어갔다.

"사실 우리 할머니는 내가 정말 아기였을 때 나를 안고 전쟁에서 빠져나오려고 도망치셨어. 그때 엄마는 미리 가서 준비를 하겠다고 먼저 피난을 가셨고, 할머니와 나만 남은 상태였지.. 할머니는 도망치다가 한 군병에게 붙잡히셔서 나와 떨어지게 되었어. 나는 이웃의 도움으로 구사일생 엄마 곁으로 갈 수 있었지만.. 할머니는 결국... 실종되셨어."

나는 할 말을 잃었다. 이런 비참한 사고가 있었다니.. 몰랐다. 나도 모르게 윤정이를 안았다. 윤정이도 조용히 나에게 기댔다.

난 전학교에서도 그렇고 이번 학교에서도 괴롭힘을 받으며 제대로 된 친구를 사귀어 본적이 없기 때문에 윤정이가 진짜 친구처럼 느껴졌다. 그래서 조심스럽게 윤정이에게 물었다.

"너 나랑 친구 할래?"

그 아줌마의 딸

윤정이는 말했다.

"좋아!"

아줌마는 나에게 집이 없냐고 묻고 그렇다고 대답하니 당분간은 여기서 지내라고 했다. 윤정이는 아주 좋아했다. 그러곤 자신의 방으로 가서 자신의 옷장을 보아 제일 곱고 예쁜 한복을 주었다. 여기선 그런 옷 입으면 이상한 취급을 받는다고 말하면서.

난 한복을 입었다. 이 옷을 입으니 내가 좀 더 예뻐진 느낌이 들었다. 얼마 만에 한복을 입어보는 건지 모르겠다. 마지막으로 입은 게 4학년 때 가족여행으로 한복을 입었던 때였다.

윤정이는 밖을 구경해 보자고 말했다. 나도 옛 조선의 모습을 보고 싶었다.

밖으로 나가니 환한 햇살이 우리를 비추었다.

윤정이가 말했다.

"환영해 우리 동네에 온 것을!"

조선은 내가 상상했던 것보다 훨씬 더 아름다운 곳이었다. 길거리에서 예쁜 액세서리와 먹을 것을 파는 상인들과 그 거리를 다니는 양반들, 아가씨들도 너무나 멋졌다. 나는 빨리 윤정이에게 구경하자고 했다. 우리는 예쁜 비녀와 댕기를 보았다. 거기서 나는 댕기를 윤정이와 맞췄다.

* * *

집으로 돌아와 난 윤정이에게 물어볼 것이 있어서 몰래 일어나 윤정이에게 갔다. 바로 옆방이라 아줌마만 없으면 들키지 않을 것이다!

윤정이 방에 가서 방문에 대고 말했다.

"윤정아 거기 있어?"

윤정이가 아무 말이 없었다. 나는 자나 보다 하고 내 방으로 가려는데 윤정이가 뭐라고 말했다. 그래서 나는 에라 모르겠다. 하고 윤정이의 방을 열었다. 근데 윤정이는 창문을 통해 밤하늘만 계속 쳐다보고 있었다.

"윤정아 안 자고 뭐 해?"

"세인아 밤하늘이 무척이나 아름답지 않니? 근데 나는 여기서 뭐 하는 건지..."

라고 윤정이가 작게 말했다.

나는 궁금했다.

"여기서 뭐 하는 거라니 무슨 걱정 있어?"

윤정이는 나에게 놀란 눈으로 말했다.

"내 나이에 혼인 못 한 애들이 다 가지고 있는 고민인데 몰라?"

"아 맞다 여기 조선이지..."

윤정이가 나에게 물었다.

"너는 혼인 문제에 대해서 걱정이 없어?"

내가 말했다.

"나는 결혼, 아니 혼인 안 할래. 굳이 할 필요 없어."

윤정이는 나를 이상하다는 눈빛으로 바라보다가 말했다.

"넌 좋겠다. 마음이 편해서"

라고 하며 다시 창문을 바라보았다. 나는 윤정이의 눈빛에서 진정함을 느꼈다.

"어서 자, 윤정아 내일도 재밌게 놀아야지!"

내가 말했다.

윤정이가 눈웃음을 지으며 누웠다. 나도 내 방으로 가서 고민했다.

'만약에 내가 영원히 조선에서 살게 된다면 나도 여기서 더 일찍 혼인해야 하는 건가?'

또 다른 평행세계?!

다음날이었다, 그날도 우리는 조선 구경을 가기로 했다. 근데 그날따라 윤정이가 신나고 엄청나게 꾸미고 설레는 표정을 하며 웃고 있었다.

나는 물었다.

"윤정아 왜 평소보다 더 꾸몄어?"

윤정이는 좀 망설이더니 말했다.

"오늘은 예술작품 구경하러 갈 거야."

내가 물었다.

"갑자기 왜? 저번엔 엄청 유명한 식당 가자며"

윤정이가 말했다.

"사실 지금 가는 데가 이현 도련님 집인데 도련님께서 그림을 그리셔서 구경하러 가는 거야. 내가 엄청 이쁘고 착한 친구랑 가도 되냐고 해서 어렵게 허락받은 거니까 식당은 나중에 가자. 응?"

나는 생각했다.

'이현 도련님이면... 혹시 나 이용해서 그 도련이랑 잘되려고 하는

거 아니겠지? 그래도 좀 서운하다. 나는 식당가서 윤정이랑만 있고 싶었는데.'

윤정이가 날 불렀다.

"빨리 가자, 우리 이러다 늦겠어."

결국 도착했다. 그런데 그곳은 엄청난 대저택이었고 예쁜 꽃들과 푸릇푸릇한 풀들이 많았고 심지어 작은 연못까지 있었다.

"좀 사나 보네."

나는 생각했다. 윤정이가 말했다.

"넌 여기서 기다려!"

그러더니 윤정이는 뛰어가서 누군가를 불렀다.

"이현 도련님, 저희 왔어요."

그러곤 윤정이가 내 옆에 서서 설레는 표정과 옷매무새를 정리하였다. 그리고, 이현 도련이란 분이 나왔다. 좀 잘생기고 멋져 보이긴 했지만 내 스타일은 아니라 윤정이를 보았다. 윤정이는 입이 벌어지고 너무나 신나 보였다.

이현 도련이 말했다.

"안녕 네가 세인이니?"

내가 말했다.

"네 그런데요?"

"얘기 많이 들었어! 예쁘고 착한 아이라고, 듣던대로 예쁘네."

라고 이현 도련이 말하며 날 빤히 쳐다보았다.

그러자 윤정이가 다급한 목소리로 말했다.

"도련님 저도 좀 봐주세요. 저도 오늘 좀 꾸몄는데 예뻐요?"

이현 도련이 시큰둥하게 말했다.

"어어, 그러네"

윤정이의 시무룩한 표정을 보고 나는 생각했다.

'뭐 이런 사람이 있어 예쁘면 예쁘다고 리액션 좀 해주지 뭐 이렇게 시큰둥해? 콘셉트인가?'

이현 도련이 또다시 나에게 말을 걸었다.

"혹시 너도 내 예술작품 보러왔어?"

나는 말했다.

"네, 뭐 원래 일정이 있었는데 취소하고 와서 얼마나 대단한 작품인지 궁금하네요."

이 말은 내가 생각해도 비꼬는 말이라 기분이 나쁠 것 같았다.

"아, 기분 나빴다면 죄송해요."

이현 도련은 나를 보며 웃더니 말했다.

"너 정말 매력 있는 아이구나..! 뭔가 다른 여인들하고는 다른 것 같아."

나는 윤정이를 슬쩍 보았다. 윤정이의 눈가에는 눈물이 차 있었고 주먹을 꽉 쥐고 있었다. 나는 눈치를 챙겨 말했다.

"아 저희가 갑자기 일이 생겨서 지금 가봐야 할 것 같네요. 죄송해요. 나중에 다시 올게요"

그리고 빠르게 윤정이의 손을 잡고 나왔다. 물론 이현 도련이 우리를 불렀지만, 우린 뒤도 안 돌아보고 뛰었다.

조금 멀어졌을 때쯤 나는 윤정이에게 말했다.

"뭐 저런 도련이 있냐, 그치? 너가 너무 아까우니까 너무 상처받지 마."

윤정이는 눈물을 흘리며 말했다.

"...혹시 너 이현 도련님 좋아해? 이현 도련님은 널 좋아하시는 거 같더라."

그 말을 남기고 혼자 집으로 뛰어가 버렸다.

좀 이따가 내가 집에 도착했을 때쯤 아줌마는 나가셔서 없고 윤정이는 방에 있는 거 같았다. 나는 윤정이의 방문에 속삭이었다.

"윤정아 들어가도 돼?"

윤정이는 말했다.

"어."

나는 방에 들어갔더니 방은 엉망이었다. 아마 윤정이가 방에 들어와서 다 쓸어 버린 것 같았다.

"윤정아 무슨 일이야 혹시 그 이현 도련 때문에 그래? 그 사람은 잊으라니까..."

"넌 몰라? 나 도련님 좋아해 근데 너 때문에 내가 화난 거야 그니까 나한테 잊으라는 말 좀 그만해!"

내가 말했다.

"야 너야말로 모르겠니? 난 뭐든지 너의 말만 따랐어. 난 너와 단둘이 즐겁고 행복하게 식당에서 밥 먹고 싶었는데 네가 이현 도련집 가자고 해서 갔고 네가 기다리래서 기다리고 눈물을 보여서 널 가려줬는데 어떻게 나한테 그래? 넌 내 친구잖아. 고작 이현 도련 때문에..."

윤정이가 화난 말투로 말했다.

"뭐? 고작 이현 도련? 나한텐 유일한 배필이야 내 고민을 없애줄 사람.. 그니까 네가 뭔데 도련님을 고작 이라고 표현하는데!!"

나는 순간 윤정이를 다시 봤다. 이렇게 못되고 상처 주는 아이인지 난 몰랐는데... 나는 윤정이에게 말했다.

"나 네가 이런 모습인지 몰랐어.. 그렇게 좋아하는 이현 도련이랑 잘 되길 바래"

라고 남기고 윤정이의 방에서 뛰쳐나와 버렸다.

그리곤 밖으로 나와 조선의 밤하늘을 구경하는 중이었다.

그런데 멀리서 이현 도련과 하인들이 보였다. 아주 왕이 납신 것처럼 행동해 처음엔 이현 도련이 아닌 줄 알았다. 이현 도련도 날봤는지 "어?!"라고 말하고 나에게 걸어왔다. 하인을 내버려 둔채로..

나는 도망쳤다. 그냥 이유는 모르겠고 윤정이의 집 앞에서 이현 도련을 만나니 좀 짜증이 났다. 그러자 이현 도련이 아주 빠르게 날 쫓아와 잡았다.

내가 말했다.

"왜 이러세요?"

이현 도련이 말했다.

"왜 도망친거요? 난 반가워서 쫓아온건데..."

나는 정말 어이가 없었다.

윤정이의 눈물은 보이지도 않았나? 정말 별로였다.

"이참에 나와 밤 산책을 하지 않겠소?"

나는 싫었다. 윤정이와 나의 사이를 벌려놓은 사람과 같이 걷기 싫었기 때문이다.

"아 저는 지금 급한 일이 있어서 어디를 좀 가야 해요. 나중에"

라고 말한 뒤 윤정이의 방쪽으로 갔다. 이현 도련이 나를 부르며 왜 바쁘냐고 말했다.

"아, 잠시만 기다리세요"

나는 윤정이에게 빨리 나가서 이현 도련이랑 밤 산책하라고 말했다.

"뭐? 진짜?"

윤정이는 빠르게 옷매무새를 정리한 뒤 나가서 이현 도련에게 갔다. 내가 방문에 귀를 대고 윤정이와 도련이 하는 얘기를 들으려고 했지만 잘 들리진 않았다. 그 후에 윤정이가 방으로 돌아왔다. 아주 기분이 상한 표정으로. 나는 물었다.

"왜 그냥 들어와? 절호의 찬스인데?"

윤정이가 말했다.

"내가 말했잖아 도련님은 널 좋아한다고 그냥 네가 가"

"난 괜찮으니까"

나는 매우 화가 났다. 윤정이가 도련을 좋아하고 나는 좋아하지도 않는데 왜 윤정이를 자꾸 밀어내는 건지.

나는 이현 도련에게 가서 말했다.

"왜 이렇게 눈치가 없어요?! 윤정이가 도련님 좋아하는데 왜 자꾸 윤정이 마음을 못 헤아리세요?"

그러자 이현 도련이 한숨을 쉬더니 말했다.

"저는 윤정이를 그냥 아는 동생 정도로 생각하는데 왜 내가 윤정이를 좋아해야 하오?"

나는 꼭 윤정이랑 이어줘야겠다는 생각이 들었다.

근데 그 순간 윤정이가 나와서 이현 도련에게 말했다.

"제가 왜 마음에 안 드시는 거예요? 처음엔 저한테 다정하게 대해주셨으면서."

이현 도련이 말했다.

"난 단지 널 싫어하는 게 아니라 그냥 친한 동생으로 생각하는 거니 상처받지 마."

윤정이는 한마디를 던지고 뛰어가 버렸다.

"그럼 저는 어디서 나에게 맞는 배필을 찾나요?!"

이현 도련은 상당히 당황한 듯 나에게 물었다.

"윤정이가 왜 저러는 겁니까?"

나는 어처구니가 없었다. 어떻게 저렇게 눈치가 없는지.

"알아서 알아보시고 눈치 좀 챙기시죠!"

나도 윤정이를 찾으러 뛰어갔다. 하지만 윤정이는 도통 보이지 않았고 나는 점점 지쳐가 잠시 돌에 앉아서 쉬고 있었다. 이제 곧 동이 틀 시간이라 포기할까 생각을 했지만 윤정이를 찾는 게 우선이었기 때문에 남아있는 힘을 내 윤정이를 찾으러 다녔다.

근데 저 멀리서 고개를 숙이고 울고 있는 여인이 보였다. 그 주변으로 사람들이 있었고 나는 달려가 확인했다. 이 여인은 윤정이였다.

"윤정아, 미안해 난 이현 도련 때문에 우리 사이가 틀어지는 줄 알고... 우리 이제 같이 집으로 돌아가자"

라고 내가 말했다.

"...세인아... 나도 미안해 너가 하는 말 다 들었어!

너는 날 위해 이현 도련님과 이어주려고 애쓰는데

나는 그것도 모르고 너한테 상처만 줬어.."

다음날이었다. 창문 사이로 바람과 햇살이 들어오는데 나는 너무나 피곤했다. 어제 밤새워서 윤정이를 찾아 돌아다녀서 지금 일어날 수가 없었다. 그런데 갑자기 윤정이가 나에게 나들이를 가자며 방문 사이로 말을 걸었다.

"세인아... 어제는 내가 진짜로 미안했어. 오늘은 그 유명한 식당도 가고 나들이도 가자!"

순간 힘들었던 내 몸이 일어났다. 정말 이상하다 이것이 우정의 힘이라는 것인가?!

"진짜? 알겠어! 그래 기다려!!"

라고 말하고 나는 빠르게 옷을 갈아입고 밖으로 나갔다. 나가니 윤정이가 정문에서 나를 기다리고 있었다. 그런데 그때는 4월이라 벚꽃이 풍성했었는데 벚꽃이 윤정이를 향해 떨어졌다. 그 순간이 너무나 아름다웠다. 윤정이는 내가 봐도 너무 이쁘다. 근데 왜 이현도련은 윤정이를 안 좋아하는것인지... 도통 이해가 안 된다..

"세인아! 무슨 생각을 하길래 나를 빤히 쳐다봐? 빨리 가자"

라고 윤정이가 말했다. 그러하여 우리는 나들이를 갔다. 우리는 강에 가서 배를 타려는데 옆에 어느 뱃사공이 90도처럼 인사를 하였다. 그래서 나도 그쪽을 향해 쳐다봤는데 너무나 아름답고 귀엽게 생기신 여인이 나타났다. 보아하니 그 사람은 우리 또래인 것 같았다. 그 여인도 배를 타러 온 것 같았다.

그 여인은 우리 배와 뱃사공의 배를 번갈아 보더니 우리 쪽으로 왔다.

"저기... 얘, 우리 또래 같은데 배 같이 탈래? 그리고 내 이름은 강효주야."

효주가 말했다. 나는 윤정이의 눈치를 보고 말했다.

"왜요?"

"아니... 너희의 배가 우리 것보다 좋잖아,아 아니.. 그리고 친구니까 같이 탈 수도 있지 싫니?"

어이가 없어서... 아마 효주라는 앤 우리 배가 더 좋아 보이니까 우리 배를 타고 싶나 보다.

"잠시 상의 좀..."

라고 내가 말하고 나는 윤정이에게 물었다.

"야 아무래도 효주는 애가 우리랑 같이 타고 싶나 본데?"

윤정이는 아무 말이 없다가

"내가 말해볼게"

라고 말한 뒤 효주에게 갔다.

"저기... 아마 우리 배가 더 좋아 보여서 타고 싶나 본데 당연한 거긴 하지.. 우리 배는 개인 소장 배니까! 그런데 우리는 둘.만. 타고 싶네? 미안해서 어쩌지?"

윤정이가 효주에게 사이다를 날렸다. 곱디고운 윤정이가 이런 말을 하다니... 놀랍고 또 멋져 보였다.

효주는 아주 당황해하고 어이없어했다. 그러곤 말했다.

"야 너 내가 누군지 모르니? 됐어! 나도 너희의 그 이상하고 못생긴 배 안 타!"

라고 말하고 가버렸다.

나는 윤정이에게 괜찮냐고 물었다.

"..나는 괜찮아, 우리 빨리 배 타자!"

윤정이는 참 좋은 아이인 거 같다. 우린 배를 타고 강을 흘러가고 있었다. 그런데 저 멀리서 큰 배가 다가왔다. 그러곤 우리 주위로 왔다. 우리에게 사다리를 내려주고 올라오라고 했다. 그래서 일단 올라갔더니 이현 도련과 하인들이 축제를 하고 있었다.

"세인 낭자? 윤정아... 이렇게 보니 반갑소. 같이 축제를 즐기고 돌아가는 거 어떠시오?"

라고 이현 도련이 말했다. 나는 윤정이를 바라봤는데 역시나 푹 빠져서 이현 도련을 보고 있었다.

"우리 어쩔래? 근데 우리 둘만의 나들인데 그냥 빠질래?"

라고 내가 말했다.

"아니....우리도 놀면 안 돼? 재밌을 것 같지 않아?"

라고 윤정이가 말했다. 이번에도 서운했다. 오늘도 자기가 먼저 둘만의 시간을 가지자고 해놓고 이현 도련 때문에 마음을 바꾸다니... 너무했다.

나는 윤정이가 이현 도련과 놀게 놔두고 혼자 앉아있었다. 그런데 이현 도련이 날 발견하고 내 옆에 앉아서 말했다.

"있잖아요... 저번에는 미안했습니다. 제가 눈치가 없긴 해서... 다음부턴 눈치를 챙기겠습니다 하하."

라고 말이다. 나는 대충

"네"

라고 대답하고 이현 도련을 피해 잠시 일어나있었다. 갑자기 배가 멈추더니 한 하인이 말했다.

"효주 아씨께서 있으십니다. 태울까요?"

나는 생각했다.

'효주라면... 아까 그 민폐 아가씨?'

그 사이에 그녀가 배로 올라왔다. 우리를 태울 때 깜빡하고 사다리를 안 올렸나 보다...

"이현 도련님!"

이라 말하고 이현 도련님께 안겼다. 이현 도련은 상당히 당황한 듯 말했다.

"아니 낭자가 어찌 여기에... 뭐 만난 김에 놀다가 가시오."

그런데 효주가 주위를 둘러보더니 나와 윤정이를 발견했다.

"어? 너네는 그 욕심쟁이 애들 아니야?"

욕심쟁이라니 자기가 먼저 민폐를 끼친 거면서...

"너네가 왜 여기 있어? 잘난 그 배 타고 놀기나 할 것이지 너네가 뭔데 여기에서 놀고 있어?"

순간 나는 화가 났다.

"뭐? 그럼 너는 뭔데 여기에서 놀려고 하는데? 어이가 없네. 그리고 뭐? 욕심쟁이? 네가 먼저 우리한테 민폐 끼친 거 가지고 어디서 뒤집어 씌우고 있어?"

라고 내가 말하니 하인들이랑 이현 도련은 웅성거리다가 진짜냐고 물었다. 당연히 그녀는 아니라고 말하고 우리를 피했다. 뭔가 우리가 이긴 것 같았다. 그래서 윤정이를 찾는데 역시나 이현 도련과 얘기만 하며 나는 쳐다보지도 않았다. 그래서 나는 윤정이를 데리고 구석에서 얘기를 했다.

"나랑 뱃놀이 온 거 맞아? 난 진정한 친구가 너밖에 없단 말이야.. 나랑도 놀아, 아니, 나랑만 놀아! 나 너무 서운해"

라고 내가 말했다. 그런데 윤정이의 표정이 심상치 않았다.

"싫어, 너 내가 이현 도련님 좋아하는 거 알잖아. 근데 너 진짜 모르겠어? 이건 절호의 찬스야. 놀면서 친해지는 거지. 근데 왜 이렇게 눈치가 없어?"

라는 말을 하곤 이현 도련에게 가버렸다.

난 그 구석에 홀로 남아 외롭게 서 있었다. 또다시 틈이 생겨 마음이 착잡해진 것이다. 화해한 지 하루 만에 틈이 생기다니 우리 사이에...

우리의 갈라진 틈

나는 이현 도련에게 갔다.

"저 여기서 내려주세요. 이제 축제가 재미없기도 하고 집안일이 있어서... 그리고 윤정아, 넌 놀다 와."

내가 말하니 이현 도련은 아쉬워하긴 했지만 내려주었다. 그리고 윤정이는 나를 보다가 다시 축제를 즐기러 갔다. 내심 나는 윤정이가 같이 집에 가주길 바랬는데 은근히 화가 나고 서운했다.

집에 오고 난 뒤 나는 윤정이의 방으로 갔다. 역시나 옷과 물건들은 내버려져 있었고 방에는 아무것도 없었다. 곧 밤이 되는데 윤정이는 아직도 안 왔고 나는 더 외로워졌다. 그런데 저 멀리서 깔깔대는 소리와 함께 윤정이의 목소리가 들렸다. 정말로 행복한 목소리였다.

"이현 도련님, 효주야 오늘 정말 재밌었어. 내일은 몇 시에 만날 거야?"

라고 윤정이가 말했다.

"음... 8시에 우리 집으로 와!"

라고 효주가 말했다.

그러곤 헤어진 것 같았다. 난 방문에 귀를 대고 있다가 윤정이가 갑자기 들어와서 놀랐다.

"뭐야? 너가 왜 내 방에 있어?"

라고 윤정이가 아주 차갑게 물었다.

"아.. 나는 그냥 너 방 청소해 주려다가"

라고 내가 말하고 있는데 윤정이가 내 말을 끊고 끼어들었다.

"너가? 아 아니다 그냥 조용히 너 방으로 가. 아 그리고 나 내일 아침 8시에 나가니까 아무도 없을 거고, 아마 늦은 오후쯤 올 거야. 그니까 점심은 네가 알아서 먹어."

나는 서운함을 참지 못하고 말했다.

"야, 너 내 친구 맞니? 너가 내 친구면 나도 내일 같이 갈래!"

라고 말하니 윤정이는 당황해하더니 나에게 말했다.

"어.. 그래.. 대신 내일 아침에 못 일어나면 너 그냥 버리고 갈 거야."

그래서 나는 내 방으로 가 일찍 일어날 준비를 하고 있었다.

다음 날 아침, 나는 일어나서 이쁘게 꾸미고 방을 나가려고 하는데 방에 뭔가가 걸려 잠겨있었다.

"미안한데 이건 내 약속이었어. 그니까 넌 집에서 기다리기나 해"

이 목소리는 분명 윤정이였다, 윤정이가 나를 배신하고 자기가 혼자 나가려고 한 것이다. 이 생각을 하던 중 윤정이가 밖으로 나가는 소리가 들렸다. 지금 시각은 7시 40분.. 아직 희망이 있었다.

그래서 나는 무거운 돌 장식을 들어 방문으로 던졌더니 쉽게 문이 부서지며 문이 열렸다. 그 순간 난 빠르게 효주네로 뛰어 갔고 가던 길에 이현 도련을 만나서 같이 가자고 내가 말했다. 나도 같이 놀거라며.. 효주네 정문을 여니 효주와 윤정이가 아주 즐겁게 웃다가 이현 도련이 보이니 설레는 표정을 하고 옷매무새를 정리하였다. 하지만 윤정이의 표정은 달랐다. 피부색이 하얗게 되고 덜덜 떨었다. 나를 봐서 일 것이다. 내가 먼저 말했다.

"오늘 나도 같이 놀려고 어제는 집안일 때문에.. 너무 아쉬웠어. 괜찮지? 윤.정.아?"

윤정이는 말했다.

"아니, 이건 우리 약속이야...! 당장 집으로 가지 못해?!"

나와 윤정이 사이의 기류를 알아챈 이현 도련은 말했다.

"놀 사람이 많으면 더 좋으니 그냥 다 같이 놉시다"

"이현 도련님, 전 세인이 없이 놀고 싶어요. 제발요. 그치, 아리야?"

라고 윤정이가 말했다.

"어, 그냥 오늘은 쟤 없이 놀고 나중에나 같이 노시죠."

라고 그녀가 말했다.

'쟤네 그날 무슨 일이 있었길래 친해졌지?'

그리고 윤정이의 말은 더욱 나의 상처받은 심장을 눌렀다. 그래서 나는 참아왔던 말을 쏟아냈다.

"너... 나를 친구로 생각하긴 하니? 내가 만만해? 이게 어디서 여우짓이야? 그래, 너 그냥 이현 도련이랑 놀아라.. 아 아니다, 내가 너 저주 할 거야! 내 상처를 똑같이 겪게 해줄 거라고 이현 도련이랑 원수사이나 돼라!"

라고 내가 울먹이며 말했다. 그러자 윤정이가 나에게 말했다.

"그래, 난 이현 도련님을 연모해서 그러는건데... 근데 넌 내 사정을 알면서도 날 이해해주지 않잖아! 나도 서운해.그리고 나 너랑 마침 친구 그만하고 싶었어."

라고 말이다. 그러곤 이현 도련과 효주를 데리고 가버렸다.

'난 이제 어쩌지? 난 이제 집을 나서고 거지가 되는 건가?'

라는 생각과 함께 나는 울었다. 그것도 엄청 크게...

* * *

나는 서둘러 집에 갔다. 집에는 윤정이의 어머니께서 계셨다. 나는 어서 짐을 챙기려고 내 방에 가는데..

"무슨 일 있니? 우리 윤정이랑."

라고 어머니께서 말씀하셨다.

"아, 아니에요. 전 그냥 피곤해서.. 먼저 잘게요."

라고 내가 말하고 나는 얼른 내 방으로 들어왔다. 들어오니 눈물이 터질 것만 같았다. 참아야 했다. 반드시. 그런데 눈물은 터지고 말았다.

"흑흑... ㅎ흑ㅎㅎㅎㅎㅎㅎㅎ"

이 소리를 듣고 윤정이의 어머니는 문을 발칵 열고 들어와 나를 안아주셨다.

눈물이 그치고 나는 윤정이의 어머니께 말씀드렸다.

"죄송해요... 제가 운 건 그게 그니까..."

"아니다... 네 마음 알 것 같구나. 빨리 자렴."

이라고 윤정이의 어머님이 모든 걸 알겠다는 듯이 말했다. 그리고 나는 침대에 누워 여러 가지 생각을 했다. 그런데 그때 문이 열리는 소리가 났고 윤정이는 웃으며 들어왔다. 그러곤 어머니에게 말했다.

"어머니, 저 횡재 했어요! 꺅~ 저 혼인 곧 할 거 같아요.이현 도련님이 제가 넘어질뻔했는데 잡아주셨어요! 보아하니 이현 도련님은 절 좋아하시지만 용기가 없으신 것 같으니 제가 먼저 고백해 드려야겠어요 그쵸 어머니?"

그런데 윤정이의 어머니는 표정이 굳어있었다.

"윤정아... 너 내 방으로 오거라."

라고 말씀하신 뒤 윤정이를 방으로 데려가셨다. 아주 희미했지만, 이야기하는 것이 들렸다.

"윤정아 너 도대체 세인이랑 무슨 일이 있었니? 왜 이렇게 교양이 없어 이윤정!"

이라고 먼저 어머니께서 말씀하셨다.

"뭐가, 난 세인이랑 싸우지 않았거든?"

라고 윤정이가 말했다.

"내 딸 윤정아, 너가 만약 세인이랑 화해 못 하면 이현이랑 혼인 못 한다!"

헉, 윤정이가 바라고 바래왔던 혼인을 막으시다니... 윤정이의 반응이 궁금했다.

"네? 어머니도 제 혼인 바랬잖아요. 왜 갑자기 그래요? 전 어떻게 해서든 이현 도련님이랑 혼인 할 거예요!"

라고 윤정이가 말하고 방을 나와버린 거 같았다.

그러곤 내 방으로 오더니 속삭였다.

"야 너 나랑 화해 안 하면 정말 너무 화가 날 거 같거든? 그니까 큰일 안 당하고 싶으면 좋은 말로 할 때 화해한척하자."

"싫어..."

라고 내가 말했다. 윤정이는 기가 찬 듯 나에게 다시 말했다.

"너가 뭐라 하든 넌 반드시 나랑 화해하게 될 거야."

라고 말이다. 너무 슬펐다.

'이젠 더 이상 화해할 수 없는 걸까?'

다음 날 아침, 나는 아주 피곤하게 일어났다. 아주 졸려 하고 있던 그때였다.

"윤정아 우리 같이 놀러 가자! 우리 단둘이"

라고 누군가가 말했다. 왠지 이현 도련은 아닌 거 같았다. 목소리가 아주 곱고 예뻤으니까 마치 우리 또래의 여인처럼 말이다....!

"어! 나 지금 나가!"

라고 그 순간 윤정이가 아주 신나게 말했다. 나는 누군지 아주 궁금했고 그래서 어서 옷을 갈아입고 짐 싼 가방을 들고 밖으로 나갔다. 밖에서 기다리던 어여쁜 소녀는 효주였다.

효주는 나를 보자마자

"야, 넌 윤정이네에서 사니? 아, 너네집이 형편이 안 좋아서 너희 부모님께서 너만 부잣집에 맡긴 건가? 어머, 아~ 너도 눈치 보여서 이제 떠나려고? 그래도 염치는 있나 보네!"

라고 말했다. 정말 어이가 없어서 '앤 나 없이 못 살겠네. 놀림감 없으니까'라고 생각했고 나도 한마디 해줬다.

"너는 어쩜 이렇게 못됐니? 완전 일진이네. 아 아니다 애기인건가? 이렇게 눈치 없고 유치한 건 딱 애기네~^^"

라고 말이다. 효주는 아주 당황해했다. 그때 윤정이가 아주 곱게 차려입고 방에서 나왔다. 근데 나를 보곤 인상을 찌푸렸다.

"넌 왜 나와 있어 설마 우리가 질투 나서 효주랑 싸우고 있었니?"

라고 윤정이가 말했다.

그 말을 듣고 효주가 숟가락을 얹어 나에게 말했다.

"으앙 윤정아... 세인이 혼내지 마.. 다 내가 잘못한 거지 뭐.. 그치 세인아?"

나는 빨리 이곳을 벗어나서 울고 싶었다. 그래서 내친김에 나는 윤정이의 마음만 확인하려고 했다.

"윤정아 너가 날 어떻게 생각하든 상관없어. 하지만 나는 너를 진정한 친구라고 생각하고 있어..! 그니까 지금 골라줘. 난 너가 날 선택해 주면 계속 이 집에서 너와 같이 즐겁게 살 거고 쟤를 선택하면 바로 이 집에서 나갈 거야. 이제 정해 나와 같이 계속 친구 할래? 아님, 효주와 놀러 갈래?"

윤정이는 콧방귀를 뀌더니 나에게 말했다.

"난 효주랑 놀 거야, 이제 넌 재미가 없어. 난 너가 빨리 내 집에서 나가줬으면 좋겠어. 그리고 엄마한테는 너가 언제든지 와서 화해했다고 전하고."

라며 효주의 손을 잡고 어딘가로 가버렸다.

혼자 남겨진 나는 너무나 외로웠고 앞으로의 조선 살림을 어떻게 해야 할지 고민이 왔고 무엇보다 친구가 사라졌다는 거에 큰 충격을 받았다. 솔직히 내심 기대했었다. 아니, 나를 뽑아줄 거라고 당연하게 생각했었다. 2주 동안 친구를 한 나와, 3일 만난 효주는 너무나 차이가 났었으니까....

난 이제 가족도 없고 친구도 없고 믿을 사람 한 명 없는 고아가 되어버린 것이다. 난 엄마가 너무 보고 싶었고 빨리 돌아가서 엉엉 울며 엄마의 품에 안기고 싶었다.

나는 '이게 현실이지.... 조금만 기다리다 보면 분명히 돌아갈 수 있겠지?'라고, 생각하며 길거리를 터벅터벅 걸어가고 있었다. 그럼 어디서 자고 먹을까..? 라고 생각하는데 갑자기 울컥했다.

"흑흑흑ㅎㅎㅎㅎㅎㅎ...나는 왜 이렇게 있어야 해? 이게 다 펜던트 때문이야! 이건 왜 내 앞에 있어서!"

라고 말하며 펜던트를 던졌다. 그러더니 펜던트에서 빛이 났다. 그리곤 거울에서 누군가의 모습이 보였다. 그 사람은 윤정이었다!!!

"윤정아! 너 왜 거기에... 아 아니다 우리 이제 친구 아니지? 너 가던길이나 가셔!"

라고 내가 말했다. 그런데 윤정이는 아무 말도 하지 않고 아주 우울해 보이게 있었다. 그러다 윤정이의 모습이 사라지고 어떤 글씨가 떴다.

"난 윤정이가 죽기 바로 직전의 모습이야, 나는 죽기 하루 전 감옥에서 내 펜던트에 소원을 빌고 죽었는데 그게 한이 되어 난 펜던트에 갇히고 말았지.. 그래서 1가지 부탁이 있어. 난 아주 비참하고 과거의 일을 후회하며 고통스럽게 죽었어. 그니까 너가 과거의 나를 지켜주고 고통스럽지 않고 나쁜 짓 하지 않게 옆에서 나를 지켜봐 줄 수 있어? 아플 때 옆에 있어주기도 하고... 참고로 난 34살에 죽었어.. 얼마 남지 않았다고!"

라고 말한 뒤 글씨가 사라지고 펜던트에는 아무것도 남겨져 있지 않았다....

일단 그럼 윤정이부터 찾아야 한다. 나는 많은 길을 다니며 윤정이를 찾았다. 하지만 쉽게 윤정이를 찾을 순 없었고 나는 지쳐만 갔다.

그때! 어디선가 싸우는 목소리가 들렸고 2명인 거 같았다...! 그럼 혹시?? 라는 생각과 나는 소리가 나는 곳으로 갔더니 우리가 효주를 처음으로 만났던 곳이었다. 나는 나무 뒤에 숨어 얘기를 엿들었다. 일단 그 2명은 윤정이와 효주가 맞았었다. 하지만 그 둘은 예상가는 달리 싸우고 있었다.

"내가 먼저 좋아했어!"

라고 효주가 말했다.

"뭐?! 넌 얼마 전에 여기로 왔잖아! 난 1년 동안 좋아했거든?"

이라고 윤정이가 말했다. 효주는 할 말이 없었는지 자기 부하들을 불렀다.

"얘들아 저 여인을 물에 빠트리고 절대로 꺼내주지 말거라!"

라고 말했다. 그러곤 그녀의 부하들이 윤정이를 들어 준비된 배를 타고 가버렸다. 나는 너무 놀라 아리에게 말했다.

"야! 너 뭐 하는 짓이야! 윤정이를 어디로..."

효주는 아주 놀란 표정을 짓고 나에게 말했다.

"어머, 깜짝야..! 너 뭐야?! 진짜.. 너도 이 일을 보았으니 그냥 보내줄 순 없지..."

라며 나에게 달려들었다. 나는 하나도 겁나지 않았다. 왜냐면 나는 전 학교에서도 엄청나게 힘센 애라 아무도 날 건드리지 못하기 때문이다.

그래서 효주가 나를 밀어내려고 할 때 나는 슬쩍 뒤로 빠졌고, 그 때문에 효주는 물로 그대로 빠지고 말았다. 효주는 한 20초 있다가 물 밖으로 얼굴을 내밀고 나에게 말했다.

"푸우, 너 지금 뭐 하는 거야? 아 진짜 너 때문에 이게 뭐야! 흑 흑흑흑흑흑, 짜증 나"

라고 나에게 말하고 물 밖으로 나왔다. 그러곤..

"내가 우리 아빠한테 다 이를 거야! 우리 아빠가 누군지 알지? 우의정이거든! 그러니까 너 각오해!"

라고, 말하면서 나에게 혀를 내밀고 도망갔다. 어쨌든 윤정이를 빨리 구하러 가야 한다. 일단 최대한 멀리 뛰어봤다. 하지만 곧 절벽에 도달하고 말았다. 이 일을 어쩌지 하다가 생각이 났다. 바로 이 절벽에서 뛰는 것이다. 내 친구를 살릴 수만 있다면...! 그리고 나는 뛰어들려고 했다.

그런데 그 순간 이현 도련이 나타나서 나를 잡아끌었다.

"뭐 하는 거요? 아니, 아까 지나가던 길에 절벽에 서 있는 여인을 보았는데 당신이라니... 혹여 자살을 시도하려고 그런 것이요?"

라고 그는 말했다.

"아닙니다. 그냥... "

풍덩. 나는 말을 끝내지 않고 절벽에서 뛰어내렸다. 이현 도련은 뒤에서 나를 부르고 있었지만, 나는 뒤도 안 돌아보고 헤엄쳐 윤정이에게 갔다.

아무리 잠수해도, 헤엄쳐도 윤정이는 보이지 않았다.

하지만 난 결국 윤정이를 찾아냈다. 아리의 부하들은 어찌나 못된 것일까... 최대한 멀리 윤정이를 빠뜨렸던 것 같았다.

그리고 윤정이의 상태는 심각해 보였다. 의식을 잃었고 피부 온도는 너무나 차가웠다.

위기의 윤정이

"윤정아! 윤정아! 정신 차려봐... 흑흑"

나는 참았던 눈물을 쏟아내었다. 그래도 윤정이는 눈을 뜨지 못했다. 그때 이현 도련의 배가 왔다. 아무래도 무슨 일이 있는지 알아채고 배를 불러온 거 같았다. 그 덕분에 우리는 살 수 있었다.

배를 타고 다시 한양으로 온 나는 빨리 윤정이를 방으로 옮겨 따뜻하게 해주었다. 그리고 내가 윤정이를 간호하다 잠들었을 때, 어떤 목소리가 들려왔다.

"세인아... 세인아... 미안해.. 정말로 미안해 흑흑흑흑흑흑"

이라고 누군가가 나에게 말했다. 나는 이 목소리가 환청이거나 귀신인 줄 알고 다시 자려고 했는데 어떤 손이 내 손을 잡았다. 눈을 떠보니 윤정이가 깨서 울며 흐느끼고 있었다.

"윤정아!"

라고, 놀라며 나는 윤정이를 끌어안았다.

윤정이도 나를 안아주었다.

우리 둘은 잠깐이었지만 너무 행복했었다.

다음날, 나는 윤정이를 깨웠다. 그런데, 윤정이는 일어나지 않았다. 그래서 나는 많이 졸린가보다 하고 혼자 장을 보고 왔다. 그런데 돌아와보니 윤정이의 어머님과 의원이 아주 심각한 표정으로 누워있는 윤정이를 바라보고 있었다. 나는 그 순간 장을 본 물건들을 다 내려놓고 윤정이의 방으로 달려갔다.

"윤정이 어머니, 무슨 일이에요? 윤정이한테 무슨 일 있는 건 아니죠?"

라고 내가 말했다.

"그게 말이다... 윤정이가 일어나질 않는다.. 그래서 의원을 불렀는데 지금 검진 중이란다."

헉. 그럼 내가 오늘 아침에 윤정이를 깨워도 안 일어났던 건...

"의원님, 윤정이 못 일어나는 거 아니죠? 그죠?"

라고 내가 의원에게 물었다.

"아... 지금 검진을 끝냈는데, 이윤정님은 영원히 못 일어날 수도 있습니다. 아마 그 강에 균이 살고 있었는데 윤정님께서 그 균을 실수로 흡입하시고..."

"하지만 어젯밤에 분명 저는 윤정이가 깬 것을 확인했는데요. 의원님?"

"그럴 일은 없습니다. 꿈을 꾸셨을 것 같네요"

말도 안돼.... 그럼, 어제 윤정이가 깨서 나와 같이 울었던 건? 설마 귀신?! 아니지.. 그럴리 없어! 그건 분명히 현실이었고, 말까지 같이 했었다. 그래서 확인해 보기로 했다. 오늘 새벽에도 윤정이를 깨워보는 것이다!

그리고 새벽 3:00쯤 나는 눈을 번쩍 떴다. 그리고 윤정이의 방에 갔는데 윤정이는 역시나 누워서 눈을 뜨지 못하고 있었다. 나는 조심스레 윤정이를 불렀다.

"윤정아..! 윤정아...! 나야 세인이.. 너 어제처럼 눈 떠줘... 어제 분명 꿈이 아니었잖아.. 그치? 아님 내가 착각했나? 널 너무 그리워해서 환각이 보였나... 아니지! 난 널 분명 봤어!"

이렇게 말했는데도 윤정이는 미동도 없어 보였다. 그런데도 난 계속해서 윤정이가 깨어나기를 기다렸다. 하지만 아무리 기다려도 윤정이는 깨어나지 않았고 나는 그만 잠이 들고 말았다.

그리고 잠시후... 어제의 윤정이의 목소리가 들려왔다.

"세인아..세인아... 흑흑흑흑흑"

나는 벌떡 일어나 윤정이를 바라봤다. 윤정이는 앉아서 바닥만 보며 울고 있었다.

"윤정아! 넌 역시 일어났구나!! 다행히야 흑흑.. 어쨌든 내가 너희 어머님 불러 올게 너 일어났다고 알려야지. 잠시만 기다려 봐!"

라고 난 말하고 방을 나가려고 했다. 그런데 그 순간 윤정이가 나의 팔을 잡으며 말했다.

"가지마...세인아"

라고 말했는데 그러곤 픽 쓰러져 버렸다..

"윤정아! 윤정아! 뭐야? 일어나봐!"

라고 내가 아무리 불러도 다시 눈을 못 뜨고 있었다.

그리고 그 부름에 윤정이의 어머니께서 오셨다.

"우리 윤정이..윤정이 일어났니?"

나는 허무한 표정으로 있었던 일을 다 말씀드렸다.

* * *

"... 그렇게 윤정이는 다시 잠들고 말았어요.. 흑흑흑흑흑흑흑"

아주머니께서는 울며 나에게 긍정적으로 생각하자고 하셨다.

"어쨌든 너가 우리 윤정이가 깨어난 걸 봤다는 얘기이니 믿어 보
자, 우리 딸을."

"네"

4시간 뒤, 나는 계속 윤정이의 옆을 지키며 윤정이에게 말을 걸고 있었다.

"윤정아, 일어나... 윤정아 제발... 윤정아 난 항상 너의 옆에 있을 거야.."

그러고 있는데 갑자기 구석에 있던 내 펜던트가 다시 번쩍하게 빛나고 있었다. 그래서 나는 다시 내 펜던트를 들여보았는데 한 목소리가 나왔다.

"역시... 일이 벌어졌구나.. 세인아..."

나는 깜짝 놀랐지만 대답했다.

"누구세요,,,? 아.. 혹시 미래의 윤정이?!"

"맞아... 우리 만난 적 있지? 저번에 말한 거 잊지 않았지? 난 과거의 나를 꼭 지켜야 해... 이런 걸로 죽을 순 없다고! 흑흑"

"울지 마세요... 제가 반드시 윤정이를 지켜낼게요! 하지만... 제가 할 수 없는 것들이 많아요... 아픈 것도 제가 할 수 없는 거구요... 그래도 제가 옆에서 간호하고 있으니 걱정 마세요! 꼭 윤정이를 지킬게요."

"고맙구나.. 세인아"

이렇게 우린 말하고 다시 펜던트의 빛이 사라졌다. 나는 굳게 마음을 먹었다. 윤정이를 지키고 살릴 거라고...

그 순간, 윤정이가 움직였다. 내가 손을 잡고 있었는데 윤정이의 손가락이 움직인 것이다!! 나는 너무 놀라 빨리 어머님을 불렀다. 윤정이의 어머님도 놀라시고 기대하며 윤정이의 손을 부여잡고 있었다. 뭔가 오늘이 윤정이가 일어나는 날인 것 같았다.

하지만.. 아까처럼 움직이지 않았고 다시 눈을 감은 채 가만히 누워있었다. 나의 기대가 떨어질 찰나! 윤정이의 손가락이 다시 움직였다.

나는 놀라 윤정이를 불렀다.

"윤정아! 이제 정신이 드는 거야? 진짜? 꺅! 빨리 일어나봐!"

그런데 또 윤정이는 일어나지 않았고 나는 또다시 실망하고 말았다. 윤정이 어머님은 나에게 곧 깨어날 거 같으니 포기하지 말고 내일 아침에도 한번 보자고 말씀하셨다.

다음날 아침, 나는 곧바로 윤정이의 방으로 갔다. 윤정이에게 나는 속삭였다.

"윤정아.. 일어나 아침이야!"

... 아무런 대답이 없었다. 길망하려던 찰나에! 윤정이가 대답했다.

"으음......머리 아파.."

헉 드디어...!

"윤정아!"

나는 윤정이에게 기대서 엉엉 울고 또 울었다. 윤정이는 놀란 듯 나를 쓰다듬어 주었다. 그리고,

"괜찮아..."

라고 나에게 말해주었다.

나는 윤정이와 윤정이의 어머님에게 편하게 얘기 나누라고 말한 뒤 나왔다. 잠깐 어쩌다 들었는데 두 사람 다 울고 있는 거 같았다. 나도 덩달아 슬퍼지고 마음이 뭉클해졌다.

하지만 난 두 사람의 진지한 얘기를 위해 자리를 피해 길거리로 나와 산책을 하였다. 밤하늘의 조선은 정말로 아름다웠다.

하지만 난 이제 곧 가야 한다. 윤정이를 버리고... 가야한다. 나도 물론 헤어지기 싫다. 그래도 난 우리 엄마가 보고 싶다. 윤정이가 윤정이 어머님이랑 즐거워하는 모습을 보면 너무 우울해진다.

나도 엄마랑 즐거울 수 있는데...하며 울음을 꾹꾹 참아간다. 하지만 이제 나도 엄마를 만날 수 있다.

그리고 이상한 펜던트 가게로 가는 중이다.

미래의 윤정이가 나에게 '이상한 펜던트 가게'로 가면 어떻게 돌아가고 무슨 일인지를 다 들을 수 있다고 했다. 그래서 난 어떻게 내 세계로 돌아가는지 물어볼 것이다.

이상한 펜던트 가게

 가게 이름부터 남다르고 신비했다. 그래도 나는 조심스레 들어갔다. 가게 안은 정말로 조용하고 펜던트들이 아주 많이 걸려있었다. 그중에 웬 할머니가 앉아서 펜던트를 보고 있었다.

 "할머니, 안녕하세요? 혹시 지금 뭐 하세요?"

 "...조용! 지금 펜던트의 영혼이 나에게 말하고 있잖니..."

 나는 순간 입을 다물었다.

 "그래그래 알겠다. 나중에 다시 얘기하자꾸나."

 펜던트와의 얘기를 마친 후 나에게 말씀하셨다.

 "무슨 용건 때문에 오셨나요, 손님? 그것도 아주 늦은 밤에"

 "아, 안녕하세요? 저는 세인이라고 합니다. 저는 이 세계 사람이 아닌 미래 2023년에서 온 사람입니다. 이 펜던트를 발견한 뒤 여기로 와버렸어요. 다시 돌아가고 싶은데 어떻게 해야 돌아가요?"

 "흠... 정말로 돌아가고 싶은 게냐? 내가 널 봤을 땐 이미 친구도 있고 집도 있는 거 같은데... 정말로 돌아갈 거니?"

 라고 할머니께서 말씀하셨다.

나는 고민 끝에 말했다.

"할머니, 제 마음이 보이세요?저는 친구도 있고 집도 있어요. 그리고 무엇보다 집에서 절 기다리고 계시는 우리 어머니는요? 혹시 제가 친구랑 노는 사이에 우리 엄마에게 무슨 일이라도 생기면요? 저 너무 하루하루가 불안하고 두려워요. 그러니까 저도 어쩔 수 없이 가는 거예요. 흑"

나도 모르게 눈물이 흐르고 말았다. 할머니께선 나를 유심히 지켜보시더니 방법을 알려 주시겠다고 하셨다.

"방법은 바로 펜던트에 있는 영혼의 소원을 들어주는 것이다. 너의 펜던트 속에 사는 영혼의 소원을 들어주고 풀어주면 너도 너의 세상으로 갈 수 있을 것이다. 하지만 그 임무를 완수하지 못하면 넌 못 돌아가! 명심하도록 하거라."

"네... 감사합니다. 나중에 올 수 있다면 또 올게요."

라고 난 말하고 집으로 돌아가던 중이었다.

집으로 돌아가던 중 윤정이를 만났다. 윤정이는 날 만나자마자 안아주었다. 어느새 해가 지고 말았던 것이다. 이렇게 시간이 빨리 가다니... 미처 몰랐다.

"아.. 미안해 어딜 좀 다녀오느라 늦었어... 몸은 좀 어때?"

"괜찮아... 아주 멀쩡해. 그것보단 어딜 갔다 왔길래 해가 떨어질 때까지 안 왔어? 걱정했잖아!"

"헤헤 미안..."

나는 머쓱해했다. 내 느낌상으론 10분이었는데 이렇게까지 오래 걸렸다니... 혹시 차원 이동을 한 건가?! 아...아니지 내가 너무 판타지 이야기를 많이 봐서.. 아무튼 윤정이가 더 이상 안 아픈 거 같아서 다행이었다!

"그래서, 어딜 다녀왔어?"

라고 윤정이가 물어봤다. 나는 '이상한 펜던트 가게라고, 내가 내세계로 돌아가고 싶어서 다녀왔어!' 라고 말할 수도 없었다.

그래서 거짓말을 했다.

"아 그게...쇼핑몰.. 아니 장터 다녀왔어!"

"장터? 오늘 열렸었어? 그럼, 나랑 같이 가지 왜 혼자 갔다 온 거야?"

"아, 그게 아니라.... 내가 장터를 가려고 하는데 너가 너무 곤히 잠들어 있어서... 깨울 수가 없었어!"

"아...그냥 깨우지, 난 잠보다 너가 더 중요한데."

라고, 말하며 윤정이는 아주 아름다운 눈웃음을 지었다. 난 다시 마음이 흔들리고 말았다.

* * *

어느새 잘 시간이 되었다. 나는 침대에 누워 생각했다.

'어쩌지? 언젠가 나는 내 세계로 돌아가게 될 텐데 그럼 윤정이는? 보아하니 윤정이는 나와 같이 있는 걸 무엇보다 좋아하나 본데 내가 없으면? 윤정이가 이해해 줄까? 만약에 윤정이가 나한테 가지 말고 나랑 계속 여기서 살자고 하면 어쩌지?'

갖가지 생각이 났다. 하지만 난 끝내 결론을 내지 못하고 잠들어 버렸다.

다음날, 나는 일찍 일어나 해가 뜨는 것을 보았다. 정말 아름다웠다. 나는 오랜만에 혼자 새벽 외출을 해보았다.

2023년에서의 나는 새벽 외출을 많이 했었다. 이유는 다양했다. 잠이 안 와서, 혼자 있고 싶어서, 엄마랑 싸워서... 생각해 보니 이것도 다 추억이었다. 순간 내 세계가 그립다는 생각이 들었다. 바위에 앉아 추억을 상상하고 있었다.

근데 갑자기 손이 불쑥 튀어나오더니 나에게 말했다.

"왜 울고 있소?"

고개를 들어보니 이현 도련이었다. 뭔가 오늘은 달라 보였다. 자상해 보였다. 나는 이현 도련의 손을 잡고 일어서 그와 함께 걸었다.

"왜 울었소? 뭔가 속상한 일이 있었소?"

라고 먼저 이현 도련이 말했다.

"...아니요 그냥 고민이 있어서..."

"말해보시오."

"안 됩니다. 프라이버시, 아니 비밀입니다. 아, 전 먼저 가봐야겠네요. 운정이랑 오늘 놀러 가기로 해서 옷 예쁜 걸로 갈아입어야 하거든요!"

라고 말하고 가려는데 이현 도련이 말했다.

"이 상태도 예쁜데 어딜 더 꾸미겠다는 거요?"

갑자기 심쿵 멘트라니... 연애 고수인가? 라고 속으로 생각했다. 그래서 난 아주 차갑게 받아쳤다.

"전 예쁘지 않거든요? 운정이가 더 이쁘고 멋져여 짱짱 멋있다니까요?"

라고 아주 귀여운 말투로 얘기해버리고 말았다. 이현 도련은 눈웃음을 짓다가 나에게 다가와 내 얼굴을 자세히 들여다봤다. 솔직히 너무 설렜다. 얼굴이 빨개질까 봐 일부러 얼굴을 조금씩 티 안 나게 돌리고 있었는데 이현 도련이 물러나더니 말했다.

"너가 더 예쁘고 멋져 그리고 넌 귀엽기까지 하잖아. 철벽인 줄 알았는데 애교도 부릴 줄 알고, 의외다?"

난 너무 창피하고 도망가 버리고 싶었다. 그래서 그냥

"....전 안 귀엽거든요?"

라고 말하고 전속력으로 집으로 뛰었다.

거실에는 윤정이가 울며 엎드려 있었다. 나는 당황하고 물었다.

"왜 울어? 속상한 일 있어? 아님 무서운 꿈꿨나?"

"흑흑흑흑.. 아니, 어떻게 그럴 수가 있어? 흑흑흑 너도 이현 도련님을 사모해? 혹시 그럼 어제도 이현 도련님이랑 놀러 가서 실컷 노느라 늦은 거야? 너무해 진짜 흑흑흑흑흑흑흑흑"

헉 윤정이가 나랑 이현 도련이 같이 있는 걸 본 모양이다. 하지만 큰 오해이다. 어제는 진짜 ....사실을 얘기할 수 없다. 일단 뭐라고 둘러대긴 해야 할 거 같았다.

"그게 아니라 윤정아... 이현 도련이 너 좋아한다고 하길래 내가 우리 윤정이 당신한테 못줘요! 라고 화낸 거였어."

"뭐? 그러면 이현 도련이 너한테 가까이 다가갔던 건? 너 얼굴이 빨개졌던 건 뭔데?"

"아 그건.."

"거봐 너 대답 못 하잖아."

라고 윤정이는 화내며 자신의 방으로 들어가 버렸다. 나도 모르게 눈물이 흘렀다. 답답하고 울분이 터질 것만 같았다.

'아니 왜 오늘 이현 도련을 만나서 이런 일이 또 생기는것인가...'

정말 짜증이 나고 슬펐다.

"흑흑흑흑흑..."

윤정이의 방에서 울음소리가 들려왔다. 윤정이도 눈물이 터진 것 같았다.

다른 공간 같은 느낌이라는 것인가 이게 바로? 각자 거실, 방에 있지만 답답하고 슬픈 건 둘 다 같았다. 난 너무 미안했다. 그리고 서운했다. 나도 힘들고 곧 떠나야 하는데 왜 싸워서 더 떨어져 있게 만드는건지... 괜히 나도 모르게 윤정이를 탓했다. 나도 슬프니까 화나고 답답하니까 라는 이유로만 윤정이를 탓하며 눈물을 흘렸다.

어느새 해가 질 무렵 난 눈물을 멈추고 다시 할머니에게 갔다.

"안녕하세요 할머니... 저 세인이에요.."

"음...그래 친구와 싸우고 생각이 많아졌구나... 무슨 일로?"

"저 너무 힘들어요. 친구 윤정이한테 어떻게 제가 떠난다는 사실을 알릴까, 고민하다가 어떤 한 도련 때문에! 또 싸우게 되어서 스트레스, 아니 고민이 너무 많아졌어요... 저 진짜 가고 싶어요. 지금 당장이라도 그냥 최대한 빨리 가고 싶은데 윤정이 때문에 자꾸 미루게 돼요.. 내일은 가려고 해야지 내일은 소원 들어줘야지. 하다가도 윤정이와의 추억 때문에, 윤정이와의 우정 때문에 못 가겠어요. 저 어쩌죠? 너무 힘들어요..."

"...그것이 고비이다. 내가 이야기 한 개 들려줄까? 한 여학생은 너같이 미래 세계에서 이리로 왔었단다. 그 여자아이에게도 친구가 있었지... 이것도 똑같지 않니? 어쨌든 그 아이도 고민이 많았단다. 어떻게 해야 자신의 세계로 돌아갈지, 자기 친구는 얼마나 슬퍼할지.. 그러다 펜던트에 있던 영혼이 어떻게 해야 나갈 수 있는지. 하지만... 딱 한 가지 너와 다른 점이 있어. 바로 선택 그 여자아이는 조선에 남기로 했단다. 그래서 지금까지도 조선 여자로 살고 있지. 그리고.."

"네, 그리고요?"

"...그 여자아이가 바로 나다. 나도 너처럼 미래 세계에서 왔었어. 그때의 미래는 너가 태어나기도 전이었지. 내가 바로 최초의 펜던트 주인이다. 그래서 나처럼 미래 세계에서 온 아이들을 도와주기 위해서 조선에 안착하여 살고 있지. 하지만 나는 그아이들과 다른 한 가지가 있다. 난 두 세계를 돌아가면서 오갈 수 있지. 후훗. 그래서 넌 날 어디서든 만날 수 있단다."

"정말요? 정말 최초의 펜던트 주인이에요?"

"그래, 이번에도 널 도와줘야겠구나."

"전 몇 번째 펜던트 주인인데요?"

"그건... 확실하지 않아 왜냐면 펜던트 주인이라는 것이 조선에서 살겠다는 맹세해야 붙여지는 이름이거든... 넌 아직 선택을 안했으니 주인이라 할 수 없단다."

"아... 그럼 또 할머니 말고 여기서 살게 된 아이가 있어요?"

"그럼, 있고 말고, 그 여자아이도 나처럼 조선에 살기를 원했다. 하지만 이유가 달랐지, 바로 사랑이다. 그 여자아이는 길을 떠돌던 와중에 사랑에 빠진 거 같다. 그것도 도련님이랑! 그래서 난 그 아이가 행복할 줄 알았다. 그런데. 나중에 그 아이가 찾아왔다. 거의 성인이 되어서 말이다. 그녀는 임신했다고 했단다. 그런데... 그 도련님이 도망치고 돈은 얼마든지 줄 테니 이혼하자고 하고 아이도 알아서 키우라고 했다고 말했다고 했어. 그러면서 그 아이는 아주 많이 울고 갔다. 너무 슬프지 않니? 그래도 나중에 내가 잠깐 외출했을 때 그녀가 아이를 낳고 행복하게 살고 있었어. 그나마 불행 중에 다행이지.. 그녀가 울분을 참지 못하고 아이를 버렸다면 어쩔 뻔했니.."

"그러게요... 슬픈 이야기예요. 각각 이유가 있어서 조선에 남게 된 거였다니..."

"아, 그리고 그 아이가 낳은 아이의 이름이 윤정이랬다. 이윤정.

아주 예쁜 이름이야.. 그렇지? 이참에 또 친구를 만들어 보는 거 어 떠니? 내 생각엔 또래처럼 보여서 말이다..!"

('헉 이윤정이라면...! 내 친구 윤정이? 그러면 윤정이 어머님께서 미래에서 오셨었다는 말?! 어서 집으로 가서 물어봐야겠어!')

"아 네! 감사해요! 저 이제 가볼게요. 할머니 덕분에 위로가 됐어 요! 감사합니다."

"그래, 알겠다. 나중에 또 만나도록 하자꾸나. 잘 가렴"

나는 빨리 뛰어나왔다.

그리고 곧바로 집으로 갔다. 윤정이랑 윤정이의 어머님은 안 보였 다. '어딜 나갔나?'라고 생각하고 거실에 앉아 기다렸다.

"어 그래서 내가 그랬더니 깜짝 놀라는 거 있지? 헤헤"

"어머 그러니 윤정아? 재밌는 일이었네!"

대문에서 이런 소리가 들려왔다.

분명 윤정이와 어머님의 목소리였다.

"윤정아! 어머님! 할 말이 있어요!"

두 사람 다 놀라고 어머님께서 나에게 말했다.

"하, 윤정이한테 다 들었단다... 너가 요즘 자주 하루 종일 사라지 고 이현 도련님이랑 놀러 간다며? 어쩜 그러니, 갑자기 윤정이가 싫어졌니? 아님, 저번 일 때문에 복수하는 거야? 아무리 그래도 우 리 윤정이가 잘못했어도 이런 방식으로 괴롭히는 건 좀 아니지 않 니? 난 널 믿었는데 세인아..."

라고 말씀하시고 방으로 들어가 버리고 마셨다. 난 정말 당황했 다. 오해가 생각보다 많이 커져 버린 거 같았다.

"….흑…흑…흑"

윤정이는 눈물을 흘리며 자신의 방으로 들어가 버리고 말았다.

순식간에 난 거실에 홀로 서 있었다. 순간적으로 나도 눈물이 내 얼굴을 흘렀다.

윤정이의 오해

다음 날이었다. 난 눈이 부은 채로 일어났다. 거실로 나가보니 아무도 없었다. 윤정이의 방에도 아무도 없었다. 그래서 난 밖에 나가셨다고 생각했다. 그런 김에 나도 거실에 앉아 햇살을 느끼고 있었다. 그런데 밖에서 큰소리가 났다.

"이리 와보라니까 자네!!"

"아아!! 아픕니다. 윤정이 어머님, 왜 이러십니까?"

그러더니 대문이 열리고 윤정이, 윤정이 어머님, 이현 도련이 들어왔다. 이현 도련은 윤정이 어머님께 귀를 잡히고 끌려온 거 같았다.

"자, 오늘이 해명의 날이다. 너희 둘! 무릎을 꿇고 앉거라. 그리고 나에게 해명하거라 왜 우리 윤정이를 괴롭히고 둘만 노는지! 둘은 도대체 무슨 사이냐?"

"네?"

이현 도련과 나는 둘 다 당황해하며 서로를 바라보았고 윤정이도 앉아 우리를 노려보았다.

내가 먼저 말했다.

"그게...오해에요! 저흰 아무 사이도 아니고 만난 건 그저 아침에 산책하다 잠시 만난 것뿐이고 그 전엔 한 번도 만난 적 없어요.. 믿어 주세요. 어머님."

"뭐? 정말이냐? 그저 나와 윤정이의 오해였다고? 음... 세인이의 말이 맞느냐, 이현아?"

".....아니요"

"뭐?"

윤정이, 윤정이 어머님, 나는 동시에 "뭐?"라고 했다.

"아닙니다. 어머님, 전 세인이를... 연모합니다.. 세인이의 마음은 어떨지 모르겠지만 전 세인이를 만나자마자 연모했습니다. 그러니 앞으로도 둘만 만나도 참견하시지 마시면 좋겠네요."

그러면서 나의 손을 잡고 일어나버렸다. 나는 이현 도련의 손을 뿌리치고 말했다.

"무슨 소리세요? 저희 아무 사이도 아니잖아요! 아니 저를 연모하시면 눈치가 있어야 하는거 아니에요? 전 윤정이 베프, 아니 벗인데 도련님이 이렇게 말하시면 전 어떻게 수습해요! 저 집에서 쫓겨날 수도 있어요..."

"그럼, 우리 집에서 살면 되지 않소? 저번에 보았다시피 우리 집은 아주 넓어! 그러니 우리 집으로 오시오. 불편하게 윤정이랑 같이 살지 말고 내 집에서 사시지요. 하녀들에게 말해두겠소!"

라며 나에게 말했지만, 난 못들은 체 하며 집으로 향했다. 하지만 머릿속이 복잡했다.

'진짜 갈까? 아냐, 곧 갈 건데 그래도 윤정이랑 지내야지.. 아냐! 그래도 편하게 지내다 가야지 뭐... 하... 어쩌지?'

난 집에 도착했다. 난 윤정이의 방 앞에 섰다.

"윤정아...나야, 세인이. 나 고민해 봤는데 다른 곳으로 가야겠어. 널 보기 싫어서가 아니라.. 좀 서로에게 시간이 필요한 것 같아서 편히 생각할 수 있게 나가는 거니 오해는 하지마.

내일 아침 일찍 갈 거니까 배웅해 주지 않아도 돼..!자주 보러올게"

라고 말하고 난 내 방으로 들어갔다.

그런데 옆방에서 울음소리가 났다.

"ㅎㅎㅎㅎ흑 이제 나를 떠나는 거야? 흑흑 그래... 그래라! 난 절대 슬프지 않을 거야. 절대 널 그리워하지 않을 거라고!"

분명 윤정이는 말과 달리 아쉬워하는 목소리였다.

"윤정아...나를 그리워하는 거지? 그치? 나도 너가 많이 그리울 거야... 난 거의 매일 널 찾아올 거니 걱정하지 마! 내일도 보러 올게..!"

똑똑...

누군가 내 방문을 두드렸다. 난 문을 열었는데 윤정이가 울며 서 있었다.

"흑흑... 난 너가 떠나는 거 싫어... 갑자기 왜 떠나? 내가 싫어서? 아니면 불편해서? 혹시 혼인하러?!"

"..아니, 나 그냥....불편해서? 말했잖아. 둘 다 편할 거라고..."

"아냐... 불편해도 그냥 같이 살면 안 돼? 네가 원하는 건 오해가

풀리는거잖아..! 그럼 같이 지내면서 오해를 풀어가면 되잖아... 난 너가 떠나는 이유가 있을 거라고 생각해. 이 이유는 변명이고... 말해봐, 너 혼인해?"

"뭐? 아니야 절대... 정말 내 이유는 단지 그것 뿐이야.. 자주 찾아올게.. 또 언제는 자고 갈게! 울지마 윤정아.."

"흑.. 몰라!! 내일 가든 모레 가든 오늘 가든 난 절대 배웅해 주지 않을 거야 흑흑흑흑흑흑흑"

이제 헤어지는 건가..

난 아침 7시에 일어났다. 윤정이의 방에 들어가 윤정이에게 말했다.

"잘 있어.. 또 올게.."

그러곤 대문을 벗어나 이현 도련의 집으로 갔다. 역시 다시 봐도 너무나 컸다. 하인들은 아주 분주해 보였고 그중에 이현 도련이 보였다.

"엇 왔군요 세인 낭자!"

"아.. 네.. 근데 하인들이 많이 분주해 보이네요?"

"그렇죠? 아마 이따 깜짝 놀랄 것입니다! 아 그 옷부터 갈아 입을 수 있게 방을 안내해 줄 거요."

"아.. 네"

하인이 내 방을 안내해 줬다. 정말 넓고 아름다웠다. 옷도 갈아 입었는데.. 무슨 세자빈 같은 한복이었다. 그런데 자꾸 윤정이 생각이 난다. 옷을 입을 때도 방을 구경할 때도 이 옷 윤정이한테도 잘 어울릴텐데... 이 방에서 윤정이랑 지내고 싶다는 생각도 했다. 그런데 그녀는 여기 없다. 난 그녀를 생각해서 이

사 온 것이다. 그러니 나도 여기서 잘 먹고 잘 자고 지낼 것이다! 쳇.....

이현 도련의 집엔 작은 호수도 있고 그 안엔 비단물고기들도 살고 있었다. 정말 예쁜 풍경이었다. 그런데 저 멀리서 이현 도련이 나를 불렀다.

"세인 낭자! 이리 와보시오..!"

"네?"

"이것 좀 보시오. 정말 예쁘지 않소?"

나는 정말로 놀라고 또 놀라웠다.

"아니... 이것이 무엇입니까?"

"이것은 저 멀리 서양에서 온 물고기들입니다. 정말로 큰 물고기도 있고 정말 작은 물고기들도 있죠... 이것은 세인 낭자에게 주겠소. 앞으로 여기 와서 감상하고 마음껏 쉬십시오."

"아닛... 저런 면이 있었다니... 특히 그 눈웃음... 참 매력적이다.!! 하.... 우정만 생각하던 내가... 아, 아니지. 난 곧 떠나니까 여긴 그저 내가 가기 전에 쉴 수 있는 쉼터일 뿐이야...! 정들지 말자... 이제 내 방에 가서 낮잠이나 자야지!히힛"

헉.. 난 순간 16살 나의 모습이 나와버렸다. 혹여 이현 도련이나 하인들이 들었을까 걱정했지만, 다행히 아무도 못 들은 거 같았다.

"휴... 앞으로도 조심해야겠다."

내 방으로 와서 난 이부자리에 누웠다. 그러곤 피곤했는지 곧 잠들었다.

"세인아.. 세인아... 온다며...난 널 기다리고 있는데... 언제 올거야... 이현 도련이랑 혼인했다고 날 버린 거야...?"

"으악!!"

꿈이었다. 하지만.. 너무나 선명한 윤정이 목소리였다.. 그리고 내가 이현 도련이랑 혼인했다고?! 말도 안 돼... 일단 윤정이의 집으로 가야 했다. 그래서 자리에서 벌떡 일어나 방을 뛰쳐나갔다.

"잠깐! 어디 가시오?"

이현 도련이었다.

"아.. 그게.. 어디 갈 데가 있어서... 잠시 다녀올게요!"

라고, 대충 말한 뒤 난 뛰어나갔다. 그러곤 윤정이네 집 대문 앞에 도착했다.

"윤정아!! 나 세인이야! 너 보러 왔어..!"

......아무 말도 없었다.

'혹시 나갔나?'라고 생각해 밖에서 기다렸다. 하지만 한참이 지나도 윤정이는 오지 않았고 난 참지 못하고 대문을 열고 들어갔다. 일단 마루엔 아무도 없었다. 그래서 윤정이의 방을 들어가 봤다. 그 안엔 윤정이와 윤정이의 어머니가 있었다.

그런데... 윤정이는 이마에 물수건을 올리고 쓰러져있었고 윤정이의 어머니께서는 옆에서 보고 하인이 옆에서 땀을 닦아주고 있었다.

"무슨 일이에요!"

라고 내가 말했다.

".. 윤정이는 일어나지 못하고 있어. 이유는 모른단다.... 어제

밤부터 배가 무척 아프다고 하더니 오늘 오후쯤에 쓰러졌어...."

"내가 옆에 없자마자 아프다니... 하지만 간 지 하루 채 되지 않았는데..."

"세인아... 아무래도 너, 윤정이 옆에 있어 줘야 할 거 같구나... 너가 어디로 갔었든 상관없다... 제발.. 우리 윤정이 좀 깨워다오. 저번에도 너가 아주 잘 간호해 준 덕분에 우리 윤정이가 깨어날 수 있었던 거 아니겠니..? 넌 우리 집에서 살아야 해! 내가 저번엔 미안했단다... 오해였던 거 같아.. 그러니 우리 윤정이 좀 도와줘"

난 윤정이 어머님의 말씀을 듣고 고민했다. 내가 이현 도련의 집으로 간 것은 딱 두 가지 이유여서였다. 한가지는 서로 편하자고, 두 번째는 미래로 돌아가기 전, 윤정이와 정이 더 이상 들지 않게 하기 위해서이다. 하지만... 이리 윤정이가 아프다니.. 어떡하지? 그냥 이현 도련의 집에서 살까? 아니면 다시 윤정이를 간호하러 이곳으로 올까...?하..... 난 고민 끝에 말했다.

"죄송합니다. 윤정이 어머님. 제가 보기엔 아직 심각해 보이지 않아서... 일단 저는 중요한 일부터 끝내고 다시 오겠습니다."

"뭐? 무엇이 그리 중요하길래 너의 제일 친했던 벗을 등지는 것이냐? 설마 우리 윤정이한테 정말로 화났느냐?"

"아닙니다. 전 곳 여길 떠날 것입니다. 그러기 때문에 빨리 준비하고..."

헉.. 말해버렸다. 어쩌지? 하... 망했다. 윤정이가 깨어난다면 어머님은 이 사실을 말할 것이고 그럼 할머니가 말씀하셨던 것처럼.... 안된다!!

"뭐? 여길 떠난다고?"

"아 아닙니다... 그니까 이 집을 떠날 것이고 전 바로 옆 동네 정도 거리에 있으니 걱정하지 마십시오. 만약 제가 제 일을 보던 중에 윤정이가 깨어나셨다고 해도 제가 떠날 것이라고 말실수했다는 것은 말하지 말아 주십시오"

"하..... 꼭 반드시 빨리 돌아오거라 우리 윤정이는 아무래도 너가 필요해 보인단다. 어젯밤에 배가 아프기 전에도 달을 보며 혼잣말 하는데 세인아.. 보고 싶어.. 라고 속삭이더구나."

난 그렇게 윤정이네에서 빠져나왔다. 그러곤 이현 도련의 집으로 갔는데 거실에는 아무도 없어 보여서 난 내 방을 가서 그냥 누워버렸다. 게다가 그 상태로 잠이 들어버렸다.

도련과 여행이라...

다음날 아침.... 하인이 날 불렀다.

"세인 아씨! 세인 아씨! 어젯밤에 그리 찾았는데도 안 보이시더니 여기 계셨네요? 근데.... 이 상태로 지금 잠에 드셨던 것인가요?"

"아 그게 말이야....."

그 순간 이현 도련이 벌컥 들어왔다.

"세인 낭자! 여기 계셨군요. 정말! 하... 어젯밤에 성대한 환영파티를 열려고 준비도 다 해놨는데 세인 낭자가 밖에 나가 있어서 파티는 해보지도 못하고... 어제 도대체 어딜 갔길래 그렇게 늦은 것이오? 아 지금 이럴 때가 아니지..! 지금 당장 가야 할 데가 있으니 빨리 나오시오!"

어딜 간다는 건지... 난 궁시렁거리며 방을 나왔다. 거실엔 진수성찬이 차려져 있었다.

"이게 다 뭡니까?"

"오늘은 일정이 많으니, 아침을 든든하게 먹고 출발해야 하오 그러니 어서 와서 아침을 드시오"

일정이 많다고? 난 여기에 잠시 머무르러 온 거지 일을 하러 온
게 아닌데... 도대체 무슨 일을 한다는 것이지?

"...? 왜 안 드시오? 반찬들이 마음에 들지 않소?"

"네? 아 아니에요.... 먹을거에요"

"아 다행이네요. 그럼 전 먼저 준비하러 가보겠어요. 천천히 드시
다 오세요"

밥을 다 먹은 후... 난 자리를 일어나 마당으로 나가보았다. 마당
엔 아무도 없었다. 그래서 잠시 산책을 했다 이현 도련의 마당에는
예쁜 꽃, 나무가 아주 많았다. 게다가 날씨도 너무나 좋아 난 잠시
눈을 감고 햇살을 받고 있었다.

"세인 낭자!!! 준비가 다 되었으니 이리 와보시오!"

"뭐길래 그러십니까....?"

아닛...! 저것은?

말에 바퀴달린 커다란 가마를 연결한 듯한 마차였다.

정말 조선에도 이렇게 있다니..!!

"그게.. 이것은 다른나라를 다녀온 책사들에게서 듣고 비슷하
게 만들어 놓은 마차라는 것입니다. 내가 세인 낭자와의 여행을
위해 급히 빌려왔으니 신기할 것이오"

"아... 정말 신기하네요!"

"자 그러면 떠나볼까요? 아 소개 먼저 하죠, 일단 우린 오늘 일
정을 떠나 사흘 후에 올 것입니다. 한양에만 있으니 너무 심심하지

않소? 그래서 내가 직접 준비했소! 세인 낭자는 즐겁게 즐기기만 하면 되오."

"예? 전 윤정이를 아니... 전 바쁩니다. 3일 동안이나 자리를 비울 수 없다고요!"

"하지만.. 내가 세인 낭자를 위해 준비한 것이고 뭐, 해봤자 얼마나 대단한 일을 한다고 3일을 못 비웁니까? 설마 궁전에서 일하는 것은 아니겠죠? 하하! 농담이고 정말로 같이 안 갈 것입니까? 난 그저 휴식과 평안을 선물해 주고.."

"아 아닙니다. 3일이면... 뭐 금방이겠죠.. 빨리 가시죠"

난 굳이 이렇게까지 할 필요 없다고 생각했지만, 성의를 생각해 빨리 다녀오려고 했다. 그래서 일단 마차에 탔다. 그리고 점점 한양을 벗어났다.

그때 난 잠에 들었다.

* * *

그리고 얼마 후 난 깨어났다. 벌써 밤이 되었고 내 앞에 앉은 이현 도련과 하인 1명도 자고 있었다. 그래서 난 조용히 행동하려 노력했다. 창밖은 논밭이었는데 밤에서 보는 밭도 나쁘진 않았다. 그리고 한양을 나와보는 것이 정말 좋았다. 조선으로 온 이후로 한양을 벗어나 본 적이 없으니... 창밖은 논이었는데 밤의 논밭도 나쁘지 않았다. 반딧불이도 있어서 마치 시골 같았다. 창문을 열면 시원한 바람도 들어왔다. 그리고 곧이어 어딘가로 들어갔다.

"쿵쿵"

앞에서 마차를 끌던 사람이 갑자기 마차를 멈춰 세우더니 마차를

쳤다.

"하암... 아 도착했네..!! 세인 낭자 여기요. 우리의 첫 번째 장소! 바로 강화도이요."

"세인 낭자 내리시지요"

"아 네..!"

밖은 정말로 시원했다. 선선하니 딱 좋았다.

"이쪽으로 따라오세요"

어떤 여인이 우릴 어딘가로 안내해 주었다.

그곳은 넓은 기와집이었는데 그중 사랑채를 쓰게 되었다. 물론 나와 이현 도련은 다른 방에서 잤다.

다음날, 난 아침 일찍 일어났다. 문을 열고 나가 보니 해가 뜨는 중이었다. 너무 예쁜 풍경이었다. 조선의 아침은 정말 아름답고 평화롭다. 내가 살던 2023년은... 아침의 풍경을 볼 시간도 없었다. 일어나서 씻고 옷 갈아입고 학교가고... 이런 점은 조선시대가 더 좋다. 하지만 난 곧 돌아갈 것이다. 내가 돌아가기 전까진 오늘처럼 일찍 일어나 일출을 보고 싶다. 조금이라도 평안와 안정을 느끼고 싶다...

"아.. 잘 잤소?"

이현 도련은 방에서 나오며 말했다. 아무래도 지금 막 깬 거 같았다.

"네.. 도련님도 안녕히 주무셨어요?"

"나야 뭐... 아 일출을 보고 있었군요. 정말 아름답지 않나요? 나도 더 일찍 일어나서 같이 일출 볼 걸 그랬소..!"

"아 네... 저는 이제 방에 들어가서 짐 쌀게요. 이제 어디 간다고요?"

"우린 이제 다른지역으로 갈 것이오.. 나도 방으로 들어가 짐 싸야겠군요. 이따 만납시다."

'하...뭔 일정이 이렇게 빡빡해... 다행히 국내라 다행이지 해외였으면 마차 타고 도대체 얼마나 가야 하는 거야! 아휴... 오늘도 피곤해 죽겠네. 그래도 참자...'라고 생각하며 난 짐을 쌌다.

"감사했습니다. 안녕히 계세요"

우린 짐을 다 싸고 오전 10시쯤 강화도를 떠났다. 이현 도련이 반나절 정도 걸린다고 하였다. 2023년에는 자동차, 기차가 있어서 3시간 정도면 갔는데 마차다 보니 이동시간이 오래 걸렸다.

결국 우린 저녁나절이 되서야 무사히 도착했다. 숙소는 초가집이었는데 엄청 작았다. 마당도 있는 건지 없는 건지 모를 만큼 작았다.

"여긴 깊은 산중이라 기와집이 많이 없소.. 저 아래에 기와집이 있는데 많이 시간이 지체될 거 같아서.. 미안하지만 내일까지만 버텨주시오."

"아 네 알겠습니다."

난 이현 도련에게 말하고 방으로 들어갔다. 어릴 때 엄마와 민속마을에 갔는데 거기선 초가집의 외형만 보이고 내부는 잘 안 보였었다. 근데 조선에 와서 이리 또 구경하다니.. 이런 건 또 장점이 될 수 있다. 하지만 내가 가기 전까진 5일 남았다. 게다가 이틀을 이현 도련과 여행하는데 썼으니... 나에겐 3일이 남은 것이다.

"똑똑.. 밤이 늦었으니 어서 주무세요 세인 낭자"

이현 도련이 내 방으로 찾아와서 말했다.

"네, 좋은 밤 되세요"

라고 난 말한 뒤 잠에 들었다.

"세인아...세인아..."

라고 누가 나에게 말했다.

"으음..뭐지..?"

바닥에 있던 펜던트가 빛이 나며 말하고 있었다.

"으악!! 뭐야? 지금 펜던트가 말을?!"

정말 놀랐다. 이 새벽에 말하다니...

"세인아... 세인아.."

난 슬쩍 펜던트를 들여다보았다. 그 안엔 윤정이가 있었다.

"엇..! 너는 윤정이의 영혼?"

"맞아... 너 내 소원은 들어주고 있어? 계속 이윤정을 지켜보면서 보호해 주고 있냐고.. 아님 가끔이라도 찾아가 보던지"

그 순간 난 생각이 났다. 윤정이가 아프다는 것이. 하지만 난 저번처럼 바로 뛰쳐나가지 않았다. 왠지 나가고 싶지 않았다. 마치 나가려고 하던 내 몸을 마음이 발목을 잡은 것 같았다.

"지켜주고 있냐고 세인아.."

"아 그게... 가끔 보러 가 근데 윤정이 아파 보이더라. 근데 많이는 아닐거야..! 윤정이는 무엇이든 이겨내는 아이였으니까..."

"...아니야 윤정이도 많이 아플 수 있어..그니까 너가 지켜줘 제발..."

번쩍! 하고 난 눈을 떴다.

'꿈이었나...? 아닌가...? 뭐지..?' 라고 혼란스러워하던 즈음에 이현 도련이 날 불렀다.

"세인 낭자! 일어났으면 어서 짐을 싸시오! 마지막 여정을 떠나야 합니다!"

"아 네! 곧 나갈게요!"

일단 빨리 이 여정을 끝내야 한다. 그래야 윤정이를 보러 갈 수 있으니.

짐을 다 싼 후, 난 또다시 이현 도련과 어디론가 가고 있었다.

"이번엔 또 어디로 가나요?"

"...이번엔 한양으로 갑니다"

"헉!! 드디어 돌아가는 것인가요?"

나도 모르게 들뜬 목소리로 말해버렸다. 하지만 난 돌아간다는 확신이 들었기에 사과하지 않았었다. 하지만...

"..그렇게 돌아가고 싶소? 난 세인 낭자와의 여행이 너무 재밌어서 이 여정이 끝나는 것이 너무나 아쉬운데... 세인 낭자는 나와 반대였군요..?"

허걱. 난 그만 말실수를 해버렸다. 설마 이 일로 난 쫓겨나는 것인가? 돌아가기도 전에..? 흠...일단 변명이라도 해야 했다.

"아 그게 아니고요..!! 음...그니까 그게...."

"아닙니다. 사람마다 생각은 다르지요. 전 세인 낭자의 생각도 존중합니다. 사과 않으셔도 됩니다."

하...망했다. 어쩌지? 이현 도련은 웃고 있었지만 씁쓸해 보였다. 우린 그렇게 말을 한 뒤 서로 아무 말도 하지 않은 채 한양으로 갔다.

* * *

"한양에 도착했습니다."

"아..네 이제 집으로 가는 것이죠?"

"아니요.. 우린 한양의 맨 끝 쪽, 즉 내 집과는 먼 거리에 있는 곳에 도착했어요. 이곳에서 또 1박을 지낼 것이오. 그리고 내일 집으로 갈것입니다.. 어쩌죠 세인낭자? 아직 여정이 끝나지 않아서 미안합니다."

"아 아니에요! 저도 재밌었어요. 다만 좀 힘들고 피곤하다보니... 죄송합니다. 도련님"

"괜찮습니다."

하... 여러모로 스트레스가 많이 쌓이고 있다. 너무 힘들다.

윤정이 잘 지내나 확인하러 빨리 가야하고 이현 도련 기분 맞춰 줘야하고...마음이 불편하여 너무 힘들다.

빨리 2023년으로 가서 내 침대에 누워 편하게 자고 싶다. 이젠 정말 가야 한다. 윤정이의 영혼 소원이 윤정이가 잘 지내도록 지켜달라는 거였으니까. 이틀 동안 지켜봐 주고 마지막 날을 윤정이네에서 자는 거야! 오케이, 계획 완료!

"숙소는 저기입니다. 저쪽에 가서 '이현'이라 말하면 안내해 줄 것이니 먼저 가 있으세요. 전 볼일이 좀 있어서.."

"아 네..."

"이현이요."

난 숙소에 계신 아주머니께 말씀드렸다.

"아! 이현 도련님 오셨군요? 이쪽으로.."

방은 두 개였다. 두 개는 딱 붙어있었다. 한쪽은 내가, 한쪽은 이현 도련이 쓰는 것이었다.

"...아씨 안녕하세요...?"

작은 꼬맹이가 와서 나에게 말을 걸었다.

"네?"

"저 여기 주인 딸인데요... 궁금한 게 좀 있어서... 물어봐도 될까요?"

"네 그래요."

"먼저 아씨는 이현 도련님의 약혼자이세요?"

"네? 아닌데요..?"

"그럼 어떻게 이현 도련님과 단둘이 여행을 다녀요?"

"아 그건..."

"이미 한양 양반가쪽은 다 소문 났을걸요?"

'헉 그러면 설마 윤정이가 살고있는 동네에도..?'

걱정이 되었다.

"그럼, 반대쪽 동네에도 소문이 났을까요?"

"왜요? 소문이 나면 안되는 사이?!"

"저기...그것까진 좀 실례인 거 같은데...친구라고 해두지 뭐"

"아...그러시구나...제가 사실은...이현 도련님 좋아해요!"

"네? 진짜요?"

"네...이현 도련님은 이곳을 자주 오시곤 했었는데 그때마다 조금

씩 친해지면서 오빠라고 부를 수 있는 정도까지 갔었어요. 그런데 오늘 이렇게 아씨를 데리고 왔으니...당연히 아씨를 좋아한다는 의미 아닌가요? 그것도 단둘이 왔는데?!"

꼬마 아가씨의 당돌한 질투가 황당하지만 귀여웠다.

난 빨리 그 자리를 벗어나버렸다. 이현 도련은 정말 나와 아무 사이 아니다 만약 도련이 날 좋아한다 해도 난 이제 가는데 무슨 소용이람...그리고 난 전혀 이현 도련에게 관심 없다.

"아 여기 있었군요! 한참 찾았습니다! 숙소 구경 좀 해보았습니까? 여긴 제가 자주 오는 곳이라 세인 낭자에게도 소개해 주고 싶었습니다... 어쨌든 어서 들어가서 쉬시죠. 먼 길 다시 오느라 힘들었을 터인데..."

"아 네! 감사합니다"

다음날이 되었다. 아침 일찍부터 밖은 요란스러웠다. 난 무슨 일인가 하고 밖으로 나갔는데 이현 도련이 짐을 마차에 실으며 하인에게 말했다.

"깜짝 놀랄 일이니 조용히 하고 아까 말했던 그곳으로 가주겠나?"

라고 조용히 속삭이는게 나에게까지 들렸다.

"깜짝 놀랄 일?"

나도 모르게 좀 말을 크게 해버렸다.

"헉 깜짝 놀랬습니다 하하...설마 다 들었소?"

"아 하인에게 여기로 데려가 달라는 말까지 들었습니다. 저도 방금 나와 다는 못 들은 것 같네요"

"아 그렇군요. 그럼, 일단 짐부터 싸고 밖으로 나오시오. 기다리고 있겠소"

"넵"

이제 드디어 집으로 간다!! 이현 도련에게는 너무 미안했지만, 솔직히 너무 후련했다. 여기서 또 어딜 간다면 정말 그땐 싫은 거 티가 많이 날 것 같았다. 그래서 난 이현 도련을 떠보기로 했다.

"저희 이제 집 가는 거 맞죠? 여행이 너무 재밌었는데 아쉽네요..! 하핫.. 어쨌든 이제 진짜로 가는 거죠?"

"네 이제 집으로 갈 것입니다. 후후.."

왜 웃으시지? 라고 생각하고 조금 불안하긴 했지만 그래도 집에 간다고 말하니 좀 안심이 되었다. 그리고 난 그새 잠들고 말았다.

눈을 슬그머니 떴다. 그런데 점점 시골로 들어가는 느낌이었다. 그래서 난 물었다.

"지금 우리 집 가는 거 맞아요? 여긴 더 시골로 들어가는 느낌인데..."

"...지금 집 가는 중은 아닙니다. 하지만 어딜 가고 있는지는 알려드릴 수 없습니다. 조금만 기다려 주세요."

"네? 전 오늘 꼭 집에 가야 한단 말이에요 그것도 최대한 빠르게!! 어딜 가는진 모르겠지만 제발 다시 집으로 가면 안 될까요? 부탁이에요.."

"저도 부탁입니다. 이것은 여행을 또 가는 것이 아니라 잠시 무언갈 하러 가는 것이기 때문에 너무 걱정하지 마시오."

"뭐하는건가요?"

라고 내가 물어봤지만, 이현 도련은 아무 말도 하지 않은 채 창밖만 바라보고 있었다. 그렇게 우린 어딘가로 향해가고 있었다.

"이제 내리시오"

"네.. 여기가 어디죠?"

난 이상한 꽃밭에 도착해 있었다. 아무것도 없고 단지 꽃들만 있었다. 저 끝에 풍차가 보였지만 너무 멀어 잘 안 보였다. 내가 주변을 살피고 있는데 이현 도련이 말했다.

"세인 낭자 이곳 정말 낭만적이지 않소?"

"아 네 그렇네요.."

"...내 할 말이 있소"

"뭔데요?"

이현 도련은 잠시 머뭇거리다가 말했다.

"....사실 저 세인 낭자 연모합니다. 매우.."

"..네? 저를요?"

"네 세인 낭자를 처음 봤을 때부터."

"그만! 저를 좋아하신다니... 만난지 얼마 되지 않은 저를 연모라니...! 전 이현 도련께서는 저에 대해 모르지 않습니까?"

"하지만 언젠가 저에게 마음을 줄 수도 있지요..어찌.."

"아니요 그럴 일은 절대 없습니다. 그리고 전 이제 제 세계로 돌아갈 것이기 때문에...헙"

"뭐라고요? 낭자의 세계로 돌아간다고요? 그게 무슨 말이오?

"꿀꺽..."

"당신은 어디서 온거요? 다른 나라에서 온거요?"

나는 아무대답도 못하고 당황한채 굳었다

흠.. 난 당신이 다른데서 왔던지, 어떤 배경인지 상관 안 하겠소, 그러니 떠나지 마시오"

"...감동이지만..그냥 말실수에요. 하....이제 집으로 가시죠? 해도 져가는데..?"

"..미안합니다. 제가 괜한 짓을 해서 시간 낭비만 했네요. 이제 가시죠."

이현 도련의 말투엔 슬픔과 실망이 가득 차 있었다.

마차를 타고 집으로 향하던 중 이현 도련의 눈치를 슬쩍 봤는데 진짜 분위기가 싸했다. 정말 가시방석이었다. 난 조금이라도 분위기를 풀어보려고 했다.

"밤공기가 참 좋네요. 그죠?"

"네."

하... 대답은 하지만 역시나...

"저기.... 죄송해요.. 도련님"

"뭐가요.."

"제가 이현 도련의 고백을 받아주지 않았고, 전혀 관심 없다고 상처도 줬잖아요. 또…."

"아니요. 사람마다 생각은 달라요. 제가 낭자를 좋아해도 낭자가 절 안 좋아하는 것은 어쩔 수 없죠. 그러니 저에게 사과 안 하셔도 됩니다."

"아..네.."

실패였다. 분위기를 바꾸는 것은커녕 오히려 분위기가 더 슬퍼졌다... 그 이후론 난 이현 도련에게 더 이상 말을 걸지 않았고 이현 도련도 창밖만 보며 갔다.

"도착했습니다."

앞에서 말을 끌던 하인이 말했다.

"수고했소. 낭자, 이제 방에 들어가 푹 쉬시오."

"아 네 도련님도 수고하셨어요"

난 곧장 방으로 들어가 자리에 누웠다. 정말 편했다. 하지만 여전히 이현 도련이 신경 쓰였다.

"그래. 이현 도련의 말이 맞아.. 사람마다 생각은 다 달라 내가 이현 도련을 꼭 좋아해야 하는 것도 아닌데 내가 굳이 좋아해 줘야 해?"

나도 모르게 혼잣말처럼 말이 나왔다..

"아!!"

난 윤정이가 생각나 벌떡 침대에서 일어났다. 난 이현 도련 때문에 윤정이를 잊고 있었다. 지금이라도 가야 하는데..!! 아...지금은 늦은 밤이다. 윤정이는 분명 자고 있을 테니 지금 가도 헛된 걸음일 뿐이었다. 그래서 난 내일 아침 일찍 가야겠다고 생각하고 다시 침대로 누웠다. 그대로 난 잠에 들었다.

드디어 윤정이를...!

다음 날 아침, 난 일찍 눈을 떴다. 2023년의 나는...정말 늦게 일어나고 지각하곤 했었는데. 조선에서 내 버릇을 고치게 되었다! 어쨌든 난 곧바로 윤정이의 집으로 향했다.

"똑똑..안녕하세요...?"

난 조심스레 대문을 열고 집으로 들어섰다. 일단 거실에는 아무도 없었고 대문 앞에서 청소하던 하인이 말했다.

"네 무슨 일이죠?"

"그게..윤정이 있나요?"

"...무슨 사이시죠?"

"아 그게....친구요."

"네 잠시 기다리세요."

뭔가 분위기가 심상치 않았다. 안개도 좀 있어서 스산한 기분도 들었다. 그런데 왜 나를 모르지? 난 여기 살았던 사람인데.. 처음 왔나?

"저를 따라오세요."

"네"

이상하게도 하인의 행동 뭔가 우울했다. 설마 윤정이의 상태가 더 안 좋아져서...?

"윤정이는 괜찮죠?"

"...친구라면서 아무것도 모르시나 봐요?"

"아니 그게...마지막으로 봤을 땐 조금 상태이 안 좋아 보이기만 했어서..."

"참나.."

하인은 조용하게 참나라고 하고 어이없어했다.

"참나라니요? 전 잠시 어디를 다녀와서 그동안 윤정이를 보러 올 수가 없었어요, 그래서 잘 모르는 건데 안 되나요? 저야말로 어이가 없네요..!"

"...윤정이 아씨는 저에게 친동생처럼 대해주셨어요. 그래서 윤정아씨가 빨리 나았으면..하며 매일 밤을 기도했죠! 근데 거짓말하지 마세요. 세인 아씨, 이현 도련이랑 여행 간 거 누가 모를 줄 아세요?"

"헉..혹시 윤정이도 아나요?"

"네 제가 말씀드렸습니다!"

...망했다. 자주 보러 오겠다고 하고 안 온 것도 모자라서 이현 도련과 여행 간 것도 들키다니...

"네 제가 잘못했네요. 그러니 사과할 기회라도 주세요. 윤정이 어딨죠?"

하인은 윤정이의 방을 지나쳐 이상한 지하로 들어가려 했다.

"여긴 윤정이의 방이 아닌데요?"

"...윤정 아씨는 격리되었어요"

"네?! 왜요?"

"너무나 상태가 나빠져서 전염성이 있을지도 모른댔어요. 의원이...그래서 저도 가끔 몰래 보러 가요."

"헉 내가 없는 사이에 무슨 일이..!"

난 계단을 최대한 빨리 내려갔다. 그리고 자물쇠로 잠겨져 있는 문을 만나게 되었다.

"빨리 열어주세요"

"근데...아씨는 무장하지 않으셔서 위험해요. 그러니 제가 들어가서 보고 말해드릴게요!"

"아니요. 전 제가 위험해져도 제가 직접 윤정이를 만나고 싶어요."

"하지만.."

"빨리요"

결국 하인은 문을 열어주었다.

"윤정아!!"

윤정이는 침대에 누워서 눈을 감고 있었다. 난 얼른 윤정이에게 달려가 말했다.

"미안해 윤정아.. 자주 오겠다고 해놓고.. 너가 이 지경까지 오게 되었는데! 난 뭐 하고 있던 거야.. 흑흑흑흑"

"...세...세인아..? 진짜 너야..?"

"윤정아!! 나 맞아!!"

"...짝"

순식간이였다. 윤정이는 몸을 살짝 일으켜 나의 뺨을 때렸다.

"너..!"

난 고개를 들어 윤정이를 바라봤다.

"내가 얼마나 상처받았는지 알아? 자주 안 오는 거는 이해할 수 있었어..너도 행복해야 하니까! 근데...이현 도련이랑 여행?? 너 지금 장난해? 재밌었냐?"

"...미안해... 그리고 이현 도련이랑 여행 간 게 아니고 그러니까..."

"됐어, 변명할 거면 가버려!"

"...알겠어.."

난 일어나려고 했다. 난 윤정이에게 할 말도 많고 화해하고 싶었지만, 윤정이의 말투는 진심이었다. 이런 모습이 있었다니... 놀랍기도 했다. 매일 밝고 긍정적이던 윤정이가... 그래서 일단 자리를 비켜주기로 결심했다.

"흑흑흑흑흑.."

뒤를 뒤돌아보니 윤정이가 울고 있었다.

"윤정아...."

"가라고! 흑흑.."

난 윤정이가 우는 모습을 보이기 싫나보다고 생각했다. 그래서 우는 윤정이를 두고 방을 나왔다.

"아.. 잘 얘기하셨나요?"

문밖에 서 있던 하인이 물어봤다. 난 어쩔 수 없이 선의의 거짓말을 했다.

"네! 윤정이 잘 쉬고 있더라고요..그래서 좀 일찍 나왔어요. 더 편히 쉬라고.."

"네..그러셨구나...근데 우는소리는 뭐죠?"

"아 그건...제가 울었어요. 윤정이가 이리 누워있는 걸 보니 마음이 찢어지더라고요! 그래서..."

"아 네..이제 밖으로 나가시죠!"

하인은 날 대문 밖까지 인도해 주고 배웅까지 해주었다.

이제 윤정이가 낫기만 한다면...! 난 2023년으로 다시 갈 수 있다.

난 다시 이현 도련의 집으로 왔다. 거실에는 오로지 하인들만 있었다. 매일 거실에서 수족관을 보던 이현 도련은 없었다. 그래서 난 물어봤다.

"저기... 이현 도련은 어디 갔나요?"

"도련님은 방에서 있으실 텐데 어젯밤부터 오늘 계속 안 나오고 있으셔요."

"아 네..."

웬일일까? 궁금했다. 이현 도련은 안보다 밖을 더 좋아하는 것 같았는데..? 아 아니다. 내가 왜 도련 생각을 하지? 그냥 나도 방에 가서 쉬어야겠다고 생각했다.

방에 가서 이부자리에 누워 윤정이 생각을 했다.

"내가 그냥 나오면 안 됐었나? 울고 있는 윤정이를 안아주고 화해하고 나왔어야 했나?"

정말 많은 생각이 들었다. 그래서 난 내일 반드시 윤정이와 화해해야겠다고 생각했다.

다음날, 난 서둘러 집을 나왔다.

"쿵쿵 문 좀 열어주세요!"

"네 누구세요..? 아 세인 아씨! 안녕하세요. 이른 아침부터 무슨 일이세요? 윤정 아씨 보러오셨나요?"

"네 저 윤정이를 꼭 봐야겠어요!"

"네...무슨 일인지는 모르겠지만 따라오세요"

또다시 어제처럼 그 스산한 지하로 들어섰다.

"똑똑 윤정 아씨, 세인 아씨 오셨어요"

라고 하인이 말한 뒤 난 방에 들어갔다.

"윤정아...내가 어젠 미안했어, 울고 있는 너를 보고 그렇게 가선 안 되었는데, 그냥 가버렸어. 그래서 오늘은 꼭 너와 화해하고 싶어서 왔어!"

"가..."

"싫어 난 너와 화해하고..."

"너랑 만나기 싫다고 가라고!!"

"왜 싫은데? 이유를 말해봐"

"...그건 장본인인 너가 제일 잘 알 텐데..?"

"몰라, 아무것도 모른다고..다만 두가진 알아, 너와 나는 평생 친구라는 점, 너와 나는 조선 판타지의 주인공이라는 점"

"조선 판.. 뭐? 그리고 누가 너 친구래? 난 너랑 같이.."

난 윤정이를 안아주었다.

"괜찮아 윤정아 우린 친구잖아. 그리고 이현 도련 일은 내가 진심으로 미안해..그분이 고백한 거 내가 찼으니까 걱정 말고..!

이제 우리에겐 꽃길만 있을 거야.."

"...이거 놔!"

난 윤정이를 놔주었다.

"왜 그래?"

"나도 너랑 헤어지는 거 싫은데 지금은 어쩔 수 없어, 나 전염병이야 이러다 너도 병에 걸릴지도 모른다고! 그러니까 다시는 여기 오지 마!"

"내가 어떻게 그래, 난 너와 약속했잖아."

"그 약속 취소야."

"하 하지만.."

"나가라니까? 넌 적어도 건강해야지! 내가 불치병에 걸렸어도.."

"뭐? 너 전염병 아니었어? 불치병이라니?"

"전염성도 있는 병인데 의원이 이 병은 죽을 때까지 고통스럽게 하는 불치병이래 그러니 제발 나가줘 세인아.."

"싫어."

"뭐?"

"싫다고!!"

"아니..지금까지 한 말 못 들었어? 난 불치병에 걸렸고 그걸.."

"네가 불치병이든 전염병이든 상관없어. 난 괜찮아 그리고 너와 같이 있을 수 있다면 너가 뭐여도 좋아"

윤정이의 볼에 눈물이 흘렀다.

"ㅎㅎ흑..."

"왜 울어 이 바보야.."

"미안해... 내가 나만 생각했어.. 너의 생각은 생각 못 하고.. 너란 친구가 있어서 내가 이렇게 그나마 살 수 있는데... 넌 나에게 빛 같은 존재인데..."

"아니야..나도 그래 윤정아... 나도 너를 만나서 행운이라고 생각해.."

"흑흑..고마워 세인아 내 옆에 있어 줘서"

"나도 고마워 윤정아"

윤정이와의 만남은 내일 또 만나기로 했다. 그리고 지하에서 나오는데 윤정이의 어머니를 만났다.

"넌...세인이? 여기 왜 있어, 그리고 왜 거기서 나와!"

들켰다. 그것도 윤정이 어머님께...

"아 그게.."

내가 변명거리를 생각하고 있을 때였다.

"마님, 제가 불렀습니다."

"뭐? 너 정말...!!"

"세인 아씨와 윤정 아씨는 친구인 거 알고 계시죠? 그것도 아주 친한 벗이요."

"알고있지만...세인이는 윤정이를 버렸다! 집을 나가고 윤정이가 좋아하는 사람과 연애하지를 않나! 그럼에도 친구라 할 수 있겠니? 그럼에도 벗이니?!!"

"..."

"그래서, 너희 우리 윤정이한테 무슨 짓을 했어? 왜 거기서 나오냐고!!"

"저흰 아무 짓도 안 했어요, 오히려 하인은 아무 잘못 없어요. 여기서 저를 기다리고 있기만 했다고요! 그러니 혼내시려면 저를 혼내주세요"

"왜 얘가 잘못이 없니? 애초에 저기에 윤정이가 있다고 너에게 알려 준 것도 쟤잖니! 그러면 쟤 잘못도 커!"

"...네 맞아요.."

하인이 말했다.

"제 잘못이 크죠... 그런데요, 마님의 잘못도 아예 없는 것도 아닌 거 같아요."

"뭐? 내가 왜 잘못이 있니"

"마님은 자기 딸을 지하에 가두었습니다."

"당연히 사랑하는 딸이라도 어쩔 수 없지, 전염병이래잖니!"

"하지만 그럼 세인 아씨는 뭐죠? 세인 아씨께서는 윤정 아씨의 전염병을 무시하고 전염병이든지 상관을 안 하고 찾아가 같이 있어 주고 위로해 주었습니다. 근데...뭔가 좀 바뀌지 않았나요? 오늘의 세인 아씨의 행동은 마님의 행동이었어야 했습니다. 마님은 사랑하는 딸이 전염병이라 가두신 건가요? 찾아가서 위로라도 해주었나요? 마님은 전혀 그러시지 않으셨습니다. 오히려 위로는 세인 아씨가 되어주셨죠. 그리고 걱정은 커녕 눈길도 주지 않으셨잖아요. 그럼에도 어머니인가요?"

하인은 속사포처럼 맞는 말을 퍼부었다. 그것도 자신보다 신분이 높은 사람에게 할말을 다하다니..난 하인이 대단하다고 생각했다. 정말 용감한 것 같다. 윤정이 어머님도 당황하셨는지 말을 더듬으셨다.

"아.. 아니.. 그건... 물론 나도 걱정은 했지만, 밖으로 표현하지 않았을 뿐이다. 그러니 내 잘못도 있다고 확정지을 순 없지 않니?!"

"훗..마님께선 걱정하셨다고 하셨죠? 근데 참 이상하네요. 지하는 큰 대문으로 방과 밖을 막아줍니다. 그럼 한 번쯤은 가서 대문에 대고 괜찮냐고 말해주는 것은 안 되었나요? 그리고 제가 지나가면서 들었는데... 마님과 하인이 말하는 것을요. 하인이 윤정 아씨 걱정되지 않냐고 물어봤는데 마님께서 알아서 낫겠지, 그리고 개가 죽어도 세상이 멸망되진 않으니까 괜찮다고 하시더군요. 마님은 윤정 아씨의 어머니가 맞긴 하나요?"

"아니 그걸 어떻게 들었니..?"

"우연히요."

"큼..."

난 너무 화가 났다. 처음 아주머니를 만났을 땐 정말 착하시고 좋은 분이라고 생각했는데... 그게 다 연기라고 생각하니 정말 배신감 느꼈다. 그래서 나도 한마디 했다.

"정말 너무하신 거 아니에요? 어떻게 딸을 그렇게 대해요..!!"

"...그게 그니까.."

"당신은 어머니가 될 자격이 없어요."

라고 데는 이곳을 벗어났다. 하지만 한편으론 하인이 걱정됐다. 혹시나 마님이 화풀이를 하인에게 할까봐 겁났다. 그래서 내일도 일찍 가야겠다는 생각이 들었다.

그리고 이현 도련의 집으로 갔다. 거실엔 오늘도 하인만 있겠지... 하고 대문을 들어섰는데 이현 도련이 놀랍게도 있었다.

"아 세인 낭자 오늘은 또 어딜 다녀왔었소?"

"그게....병문안이요!"

"아...네 알겠습니다.."

"그럼 전 이만 가서 쉬도록 하겠습니다."

나는 창가에 앉아 달을 보며 생각했다.

'아니, 어떻게 딸을 그렇게 생각하지? 정말 딸을 사랑하지 않는 건가? 하지만 저번에 내가 윤정이와 같이 살 땐 분명 윤정이와 화목해 보이고 즐거워 보였는데... 설마 다 연기였던건가?..'

순간 난 온몸에 소름이 쫙 돋았다. 그래서 일단 일찍 가서 따져 보기로 했다.

다음날, 역시나 난 일찍 준비해 나갔다.

"똑똑똑!"

"누구신지?"

헉 매일 문을 열어주며 날 반가워해 주던 그 하인이 아닌 다른 하인이 문을 열어주었다.

"혹시 그...이름은 모르겠지만 매일 여기 서 있던 그 하인은 어디 갔나요?"

"아~ 지연이요?"

"제가 이름은 몰라서..지연인가요?"

"네, 매일 여기 서 있던 친구는 지연이에요. 근데...그 애는 왜?"

"아 그게...할 말이 좀 있어서.. 어디있어요?"

"...지연이는 지금 만나실 수 없습니다."

"왜요?"

나는 아주 걱정되는 말투로 물었다. 하지만 그 하인은 절대 지연이가 어디 있는지 알려 주지 않았고, 어쩔 수 없이 슬그머니 잠입해야 했다.

"아..네 알겠습니다. 그럼 전 이만.."

하...난 하인으로 변장해야 했다. 하지만 나에겐 하인의 옷이 없었고, 방법은 결국 없어졌다.

"어쩌지.."

하고 있는데 저 뒤에서 울음소리가 들렸다.

"흐흑흑 제발 그만하세요 마님.."

"아직도 너의 잘못이 용서되지 않았으니, 벌을 더 받거라!"

이 목소리는 분명 지연이었다. 난 담을 겨우 넘어 문틈 사이로 지연이를 봤다. 지연이의 상태는 말 그대로 엉망이었다. 그 순간, 윤정이 어머님이 나오시는 것 같았다.

"꼼짝 말고 여기 있거라!"

라고 말한 뒤 나오셨다. 그사이 난 그 방으로 들어갔다.

"지연아!"

"세인 아씨? 여기 들어오시면 안 돼요! 빨리 도망치시라고요!"

"난 절대 널 두고 가지 않을 거야, 내가 널 구해줄게"

난 지연이의 손, 발을 묶고 있던 밧줄을 풀어주었고, 지연이는 방을 나올 수 있었다.

"우리 이제 윤정이를 만나러 가자"

"...잠시만요! 만약 윤정 아씨가 위험해지신다면요? 저희가 탈출한 걸 마님께서 아시게 되고 그 화풀이를 윤정 아씨에게 하신다면... 어쩌죠?"

"...하지만 윤정이의 건강을 찾는 게 우선이지 않아? 만약 윤정이가 가정폭력, 아니 화풀이를 당한다면 우리가 윤정이를 지켜주면 되지."

"네! 세인 아씨는 정말 멋진 거 같아요.. 저도 세인 아씨처럼 되고 싶네요."

"너도 충분히 멋져, 이제 가볼까? 살금살금 조심히 가야 해 들키면 안 되니까"

"네 조심할게요!"

우린 그렇게 지하로 살금살금 내려갔다. 지연이는 문을 열어주었고 밖에서 망을 보겠다고 했다. 그사이에 난 윤정이를 데리고 나와야 했다.

"윤정아...! 나 왔어!"

"으음..? 세인아 왔구나!"

윤정이는 방금 깬 모양이었다.

"너..상태는 어때?"

"안 그래도 말하려고 했는데...!!"

"왜? 뭐가?"

"..어제 너 가고 의원이 다녀갔는데 나 전염성도 없어지고 점점 나아지고 있어서 불치병도 아니래! 그래서 한..3일만 쉬면 일상으로 돌아갈 수 있다고 했어, 다 너 덕분이야...너가 위로와 내 옆에 없었다면 난 버티지 못하고 죽었을지도 몰라, 정말 고마워 세인아! 나 낫고 우리 다시 재밌게 놀러 다니자!"

"헐 정말 다행이다...진짜진짜 다행이야 흑흑..."

난 안심이 되어서 눈물이 흐르고 말았다. 그런 나를 윤정이는 꼭 안아주었다.

"...아 맞다! 윤정아 우리 지금 당장 나가야 해! 너의 어머니가 우릴 찾아낼 거야! 지연이도 아까 죽을 뻔한 거 내가 구했어..그니까 우리 지금 당장 나가서...이현 도련의 집으로 가자!"

"응? 이현 도련의 집은 왜..."

"아 딱히 갈 데가 없으니까 우리 그냥 거기로 가서 몸을 숨기자, 어머니도 우리가 거기 있다는 것을 모르실 거야 당분간은..."

"아..알겠어!"

우린 그렇게 지하 방을 빠져나왔다. 밖엔 다행히 아무도 없었지만, 혹시나 마주칠 수도 있어서 아까 내가 넘어왔던 담을 넘어갔다.

"드디어 밖으로 나왔어요! 이제 가시죠!"

지연이가 앞장서며 말했다.

"어? 너 이현 도련의 집을 알아?"

"네...사실 전 여기 들어오기 전에 이현 도련님의 집의 하인이었거든요..."

"오! 이렇게 또 인연이 있네!"

윤정이가 해맑게 말했다.

"빨리 가자 곧 우리가 사라졌다는 것을 알게 될 거야.."

반면에 난 두렵고, 긴장해서인지 마음이 급해졌다.

결국 우린 이현 도련의 집에 도착했고, 이현 도련은 우릴 보고 놀랐다.

"에? 윤정 낭자? 세인 낭자? 어...지연이 아니니?"

"절 기억하셨군요!"

지연이는 감동한 듯 말했다.

"오랜만이에요 도련님"

윤정이도 반가운 듯 말했다.

"저희를 당분간 이곳에 숨겨주세요. 지금 윤정이와 지연이가 어떤 여인에게 쫓기고 있습니다. 그러니 당분간만이 아이들을 지켜주세요. 제발..."

난 간곡하게 청했다.

"하...또 어떤 나쁜 여인이...알겠소. 당분간 여기서 먹고 자시오!
내 그대들을 위해 보안도 더 완벽하게 신경을 쓰겠소."

"정말 감사합니다. 도련님"

우리 셋은 동시에 말했다.

"천만에요, 고생했을 터인데, 방에 들어가서 좀 쉬세요."

라고 이현 도련은 말했다. 내 스타일은 아니지만 정말 착하고 좋
은 사람인 거 같다.

난 내 방에 들어가서 펜던트를 꺼내 영혼을 불렀다.

"윤정아, 나 너의 소원을 이룬 거 같아, 윤정이를 구출하고, 윤정이를 지켜줬잖아."

"... 맞아... 정말 고마워, 하지만 조금만 더 같이 있어 주면 안 돼? 너무 걱정돼. 혹여 너가 내일 떠나고 나서 윤정이에게 무슨 일이 생길 수도 있잖아.. 그러니까 한 일주일만."

"미안한데.. 나도 가족이 있어, 지금 내 가족이 어떻게 있을지 나도 몰라 그러니까 나도 너무 걱정되어서 미칠 것 같다고! 그러니 나도 하루빨리 집에 가고 싶어, 물론 윤정이를 계속 지켜주고 싶지만, 나에겐 날 기다리고 있는 사람이 있으니까. 그러니까 난 빨리 가야만 해!"

"...너무해... 그래, 알겠어 가라 가!"

라고 말한 뒤 영혼의 모습은 사라졌다.

"하... 찝찝해.."

"똑똑똑.."

"어? 누구지? 누구세요"

문을 열어보니 윤정이와 지연이가 있었다.

"오늘 밤은 우리 셋이 자면 안 돼?"

"아휴, 안된다니까요 아씨..전 신분이 낮아서.."

"신분이 뭔 상관이니?"

"그게..."

"그냥 다 같이 자자"

윤정이는 아주 행복해 보였다.

"그래"

난 그런 윤정이를 오랜만에 봐서 너무 좋았다. 하지만 한편으론 슬펐다. 이제 1~2일 후엔 가야 하는데 윤정이와 헤어져야한다니... 정말 아쉬웠다. 그리고 고마웠다.

우린 한 방에 누워 잠을 잤다.

"세인아.."

"어? 왜?"

"우리 밤하늘 보러 갈래? 잠 안 와서.."

"어..그래!"

우린 밖으로 나와 밤공기를 쐬고 밤하늘의 별을 구경했다.

"음~ 세인아, 조선의 밤하늘과 밤공기는 정말 최고인 거 같지 않아?"

"응...그러게.."

"꼭 너와 닮았어."

"어?"

"세인이 넌 밤하늘의 별처럼 빛나잖아."

"아...아니야..난 빛나지 않아..오히려 너가 더 빛나는걸?"

"세인아, 우리 꼭 영원히 헤어지지 말자! 처음 널 만났을 땐 경쟁자처럼 생각했어.. 넌 너무 곱고 착했잖아 말 그대로 너무 완벽했지... 하지만 지금은 달라, 이제 우린 친구고 앞으로도 영원한 친구잖아? 그래도 한가지 변하지 않은 게 있어"

"...뭔데?"

"너의 완벽함..! 넌 지금도 너무 착해. 난 너가 없으면 못 살았을 거야. 이번에 내 병이 나은 것도 너 덕분이지.. 너가 항상 내 곁에 있어 줬잖아? 정말 고마워, 넌 내 생명의 은인이야!"

"...흐흑"

난 그만 눈물을 흘리고 말았다.

"어어? 왜 울어 세인아..?"

"미안해.... 그리고 고마웠어..흑흑흑흑흑"

"..뭐? 고마웠다니..? 우린 앞으로도 쭉 영원히 같이 갈 거잖아.. 그치 세인아?"

"...미안해.."

"무슨 말이냐고 세인아...나 점점 불안해져.."

"아니야...그냥 잠결에 그래..하암, 나 졸려 윤정아"

"아..그치? 그래, 이제 자러 가자!"

난 침대에 누워 다시생각했다. 정말 돌아갈지... 하지만 엄마를 생각한다면 당연히 2023년으로 다시 가야했다.. 그래도 윤정이를 생각한다면..계속 여기서 사는 것이다. 정말 머리가 아팠다.. 결국 난 새벽 4시까지 고민하다 잠들었다. 결론은.. 돌아가자였다.

다음 날 아침, 난 눈을 떴다. 근데 옆엔 아무도 없었다. 그래서 밖을 나갔는데 지연이는 빨래를 널며 다른 하인들과 얘기하고 있었고 윤정이는... 수족관을 보며 멍을 때리고 있었다.

"윤정아 뭐해..?"

"아 세인아 있잖아... 너 어젯밤에 나한테 울면서 했던 말 기억나?"

헉, 윤정이에게 들킬 거 같았다. 그래서 일단 거짓말을 해야 했다.

"음...아니? 왜? 내가 무슨 말을 했길래?"

"아...진짜 기억 안 나?"

"음..응!"

"아 알겠어! 별 얘기 아니었어.!!"

휴...다행이다.. 그건 그렇고 난 이제 내 세계로 돌아가야 했다. 지금은 너무 사람이 많으니 이따 밤쯤 가야겠다고 생각했다.

"세인아! 우리 나가서 좀 구경하지 않을래? 오늘 장 열린댔는데.."

"아.."

어차피 난 밤에 가니까 장터 갔다 오는 것은 괜찮을 거 같았다.

"그래!"

우린 치마로 얼굴을 싸맨 뒤에 나갔다. 혹시나 장터에서 어머님을 만날 수도 있으니까...

"우와 세인아, 되게 예쁜 거 많다~! 그렇지?"

"어어...그러네.."

"꺅!"

윤정이는 소리쳤다.

"왜 뭐야? 어머님이야?"

"아니....이거 봐! 너무 예쁘지 않아?"

그것은 바로 비녀였다.

"세인아!"

"엉?"

"우리 이거 2개 사서 맞추자!"

"아~ 커플템?"

"커..뭐라고?"

아 맞다 여기 조선이지...

"아 아니야! 그래 우리 이거 맞추자!"

우린 2개를 사서 난 하늘색, 윤정이는 분홍색으로 맞추었다.

"이걸 보며 내 세계에서도 널 기억할 수 있겠지...?"

난 혼잣말로 아주 작게 말했다.

"뭐라고?"

"아 아니야!"

우린 해가 질 무렵 장터에서 돌아왔다.

"하아~ 오늘 진짜 좋았다 그치?"

"어..그러게..!"

"우리 내일도 이렇게 재밌게 놀자!"

"..."

"어 지연아!"

"잘 다녀오셨어요? 아씨?"

"어 너~무 재밌었어! 내일은 우리 셋이 가는 거 어때?"

"하하...그래도 신분 차이가 나서 사람들의 시선이..."

"그럼 내 옷 빌려줄게! 내 옷 입고 가면 우리 셋 다 아씨인 줄 알걸?"

"아...그런가요? 그럼, 저도 가도 될까요?"

"당연하지! 그렇지, 세인아?"

"아...어.."

난 이제 떠나야 했다.

"저..저기 윤정아 지연아..나 잠깐 시골 좀 내려다 올게..시골에 우리 엄마가 계신다고 누가 말해주셨거든..."

"헐 드디어 친모를 찾은 거야? 그래그래 어서 가서 만나고 와 대신 내일은 우리 셋이 약속이 있으니까 내일 꼭 와야 해~ 알겠지?"

"..."

난 윤정이를 안았다. 이것이 마지막 인사였다.

"그동안 고마웠고 앞으로도 쭉 건강하게 자라줘..!"

"뭐? 하하 장난하는 거지?"

"...."

"어차피 내일 만나는 데 그렇게 아씨가 좋으세요?"

지연이가 말했다.

"당연하지, 윤정인 내 영원한 친구인데..!"

난 눈에 눈물을 머금은 상태로 말했다. 눈물이 흐르기 전에 빨리 가야 했다.

"나 이제 가야겠다. 얘들아 안녕.."

난 뒤돌아선 채 밖으로 나갔다. 뒤에서 들려오는 윤정이와 지연이의 웃음소리가 더욱 슬펐다.

그래도 곧장 난 이상한 펜던트 가게로 갔다.

"안녕하세요 할머니..?"

"으음... 어 그래, 세인이 왔구나. 오늘은 또 왜?"

"저 드디어 영혼의 소원을 들어주고 왔어요. 이제 갈 수 있죠?"

"오호라, 그렇구나..이제 가도 된다. 갈 땐 이렇게 외쳐라. '펜던트의 영혼님 아쉽지만, 전 저의 세계로 돌아가야 합니다. 절 놓아주세요.'라고 말이다."

"후... 팬던트의 영혼님 아쉽지만 전 저의 세계로 돌아가야합니다. 절 놓아주세요"

"잘 가거라 세인아..."

그 목소리를 마지막으로 난 기절했다.

* * *

"학생...학생!"

"으음...어..? 네?"

"학생 여기서 뭐 해요?"

"헉 돌아온 건가..? 혹시 지금 몇 년도에요?"

"지금이요? 2023년인데.."

"꺅! 돌아왔다. 옷도... 한복이 아닌 내 교복이잖아?"

"네..? 혹시 병원 가보실래요? 같이 가드릴까요?"

"아...아니요 죄송합니다. 전 이만!"

난 곧바로 집으로 달려갔다.

"띠리릭"

도어락의 문이 열리고, 난 집으로 들어섰다.

"엄마!"

"어..? 세인아!!"

"엄마 흑흑흑흐흑흑"

"세인아 너 도대체 어딜 갔다 온 거야..!"

"나 어디 갔었더라...? 분명 어딜 갔었는데.."

"아휴 됐어! 너만 무사하면 되지.."

"흑흑흑 나 다신 못 돌아오는 줄 알고 너무 놀랐었어 엄마...흑흑"

"그래그래 괜찮아 세인아.."

2023년의 박세인이 돌아왔다!

난 어젯밤에 엄마와 같이 잤다. 너무나 행복했다. 꿈만 같았다. 그리고 아무것도 기억나지 않았다.

다음 날 아침이었다.

"으음...."

"어 세인아 일어났니? 학교 가야지 어서 일어나서 준비해~!"

"아앙 나 어제 왔는데 바로 학교가? 내일부터 가면 안 돼?"

"안돼 당장 일어나지 못해?"

"힝.."

역시 2023년은 너무나 바쁘다.

"학교 다녀오겠습니다."

난 반쯤 뜬 눈에 졸린 걸 티 내며 비틀거리며 학교에 갔다. 역시나 교실은 시끌벅적했고 난 내 자리로 가서 책을 봤다. 그런데, 어디서 많이 본 이름이 나왔다. 이윤정.

"분명히 어디서 많이 들어봤는데...?"

"뭐가?"

옆자리였던 나연이가 내 책을 슬쩍 보며 말했다.

"아 아니야 아무것도."

"뭐야.. 야 김수진!"

역시나 나연이도 일진 그대로였다.

그리고 1교시, 역사 시간이었다.

"오늘은 조선시대에 대해 배워 볼 것이다."

"조선시대에는 신분이라는 것이 있었는데, 이 신분 때문에 무엇들을 못했을까? 답은 여러 개가 나올 수 있다."

"흠...저요!"

"아 그래 세인이"

"같이 나들이나 구경을 못했습니다. 마치 윤정이와 지연이처럼요."

"뭐? 답은 맞는데 윤정이와 지연이는 누구냐?"

"어? 그러게요 누구지? 누군데 왜 내가 알고 있는 거지..?"

"뭐야 하하! 너 바보냐?"

아이들이 날 비웃었다. 내가 생각해도 난 바보 같았다.

* * *

학교가 끝나고.. 난 하교하고 있었다. 어떤 좁은 길거리를 지나는데 뭔가 익숙했다.

"뭐지..?"

하며 주머니에 손을 넣었는데 뭔가 뾰족한 게 있었다.

"앗 따가! 뭐야..?"

손에 잡힌 무언가를 봤는데 그것은 비녀였다.

"어?"

난 그 순간 모든 게 기억났다.

"난 조선에 가서 윤정이라는 친구를 만나고.."

나도 모르게 줄줄 내가 겪었던 이야기가 나왔다.

"어머 뭐지? 나 드디어 미친 건가?"

그러다가 저 멀리서 어떤 할머니가 걸어왔다.

그러더니 그 할머니가 나에게 말했다.

"세인아... 오랜만이구나.."

"절.. 아세요..?"

"당연히 알고말고. 넌 내가 기억 안 나니?"

"으윽.."

난 순간 머리가 아프며 기억이 났다.

"아! 할머니!"

"허허 드디어 기억났나 보구나."

"네...저. 윤정이는 잘 살고 있어요?"

"마침 여기 오기 전에 보고 왔단다. 윤정이는 지금 지연이와 잘 놀고 있단다. 하지만 널 목 빠지게 기다리고 있더구나.."

"잠깐만 1분이라도 윤정이를 만날 순 없어요?"

"흐음.... 만날 수 있다."

"진짜요?"

"하지만 단 1분이다. 이것 참... 내가 너에게 정이 들었나 보구나.."

"감사해요. 할머니 진짜요!!"

"잠시 눈을 감고 10초를 셌다가 눈을 떠보렴"

"10 9 8 7 6 5 4 3 2 1 0 땡.."

난 눈을 슬그머니 떴다. 내 눈앞엔 윤정이가 서 있었다.

"윤정아!"

"어? 세인이? 너가 왜 거기서...분명 시골 간다고 했잖아."

"미안해...난 사실 2023년에서 왔어 미래의 너가 널 지켜달라고 해서 널 지켜주다가 너가 완전히 건강해진 거 같아서 다시 돌아올 수 있었어.."

"다시 돌아와.."

"뭐?"

"우리 영원히 친구 하기로 했잖아! 그럼 너가 여기로 와야지...아님 내가 거기로 갈까? 우린 함께해야 해.."

난 흥분한 윤정이를 꼭 안아주었다.

"윤정아...우리 나중에 또 만나자.. 나도 가족이 있어. 근데 너 때문에 가족을 버리고 갈 순 없어. 미안해 정말로..다시는 널 못 만날 줄 알았는데 이렇게 갑자기 만났잖아? 그러니까 나중에 또다시 만날 수 있을거야..그리고 지연이한테도 안부 전해줘...윤정아..항상 건강하고 행복해야 해! 그것도 알아줘..넌 나에게 하나뿐인 진정한 친구였다는걸"

"흑흑흑...알겠어...절대 안 잊을게"

윤정이는 말없이 울기만 했다.

"시간이 얼마 남지 않았어 윤정아...고마웠고 미안해.."

"세인아 나도 고마웠고 미안했어...우리 꼭 나중에 만나는 거

다~!"

"그래 윤정아 안녕..."

그렇게 우린 마지막 인사를 마쳤다. 그리고 우리의 조선 판타지도
끝이 났다.

작가의 말

여러분은 과거로 돌아가는 꿈을 꾼 적이 있나요?
저는 과거로 돌아가면 어떨까? 라는 상상은 많이 해봤죠.

예를 들면 전생에 난 뭐였을까? 혹시 요즘 사극 드라마에 많
이 나오는 중전이나 세자빈이었다면? 이라는 상상나래를 펼쳐보
기도 했었지요. 여러분들도 한 번쯤은 그런 상상을 해보시지 않
았나요?

그리고 이 책은 우리가 경험해 보지 못하는 소재를 바탕으로
하여 여러분의 흥미를 자극하는 이야기입니다. 이 이야기에서는
조선시대의 윤정이와 현재의 세인이가 시대를 초월하고 친구가
되는데요, 이 두 사람의 우정이야기는 정말 감동스럽습니다. 중
간에 싸우거나 오해하는 일이 생기지만 그 오해를 풀고 헤쳐나
가는데 이 둘의 우정이 전 정말 좋은 우정이라고 생각해요!

여러분이 이 책을 통해서 다양한 재미와 즐거움을 느끼고
우정에 대해 생각해 보셨으면 좋겠습니다!

이상한 펜던트

발 행 | 2023년 12월 05일
저 자 | 이서연
펴낸이 | 한건희
펴낸곳 | 주식회사 부크크
출판사등록 | 2014.07.15.(제2014-16호)
주 소 | 서울특별시 금천구 가산디지털1로 119 SK트윈타워 A동 305호
전 화 | 1670-8316
이메일 | info@bookk.co.kr

ISBN | 979-11-410-5728-2